徐武軍　徐元純　輯

徐復觀教授看世界——時論文摘

四之四卷　民族主義與民主政治　國際政治　台灣　中國大陸　海峽兩岸

臺灣學生書局印行

序

徐復觀先生是著名的思想家與思想史家，現當代新儒家之重鎮。徐先生一生在學術與政治之間，「以傳統主義衛道，以自由主義論政」。他是風骨嶙峋的勇者型的人物，時常批評政治，在政治上主張民主、自由、人權，有道德勇氣。他肯定中國知識份子的使命感、入世關懷、政治參與和不絕如縷的犧牲精神。他身上體現了人文知識份子以價值理念批評、指導、提升社會政治的實踐品格。在文化上，他是中華民族文化根基的執著守護者，曾誓言「要為中國文化當披麻戴孝的最後的孝子」。

一九四九年以後，唐君毅、牟宗三、徐復觀三先生客居香港、臺灣，共同弘揚中國傳統文化精神。與唐、牟兩先生不同的是：徐先生不是從哲學的路子出發的；對傳統與現實的負面，特別是專制主義政治有很多批判；有庶民情結。徐先生是集學者與社會批評家于一身的人物，是文化守成主義陣營中最具有現實批判精神、最易於與自由主義思潮相頡頏又相呼應的代表人物。

徐先生寫了三十多部專著、文集，發表過近百篇學術論文和數百篇時論、雜文。徐先生學術的代表作是三大卷的《兩漢思想史》，以及《中國人性論史》（先秦篇）、《中國藝術精神》、《中國經學史的基礎》、《中國思想史論集》及其續編等。作爲思想史家的徐復觀，對中國思想史的總體，特別是對先秦兩漢思想史、中國藝術史下了極大的功夫，有精到的研究。

作爲「學術與政治之間」的人物，他的政論雜文聞名於世，不僅數量豐富，且其文風雄健，眼光獨到，極具批判鋒芒，可謂鞭辟入裏，在中國現當代思想史上影響甚巨。他特別表現了儒家的抗議精神，他所留下的大量的「學術與政治之間」的時評，與思想史著作相得益彰，頗能表現他的風骨和他的學術的特點。他是從人的具體生命與生活的體驗出發，來做學術研究的，他的學術與人民的生活有密切的關聯。

徐復觀先生的哲嗣、長公子徐武軍教授等主編、整理了《徐復觀全集》，於二〇一四年由九州出版社刊行。近年來，武軍教授與女兒元純小姐從復觀先生三百餘萬字的「時論」中，摘、輯了六百餘則的文句，內容涵蓋了徐復觀先生要傳送給社會的訊息，和他對社會的觀察、批判及建議，編成本書。編者的初心，是期望能比較全面的、完整的呈現出徐復觀教授人生中廣接地氣的一面。

編者很有眼光，費心選編了本書，內容包含了自敘、讀書和研究的方法與態度、智識份子、教育、文化、藝術、文學、政治、軍事等方方面面，並附錄了兩文以便讀者瞭解復觀先生的人生經歷與生命精神。

近來拜讀了編者擇取的徐先生的精粹文句，深受教益。尤其是徐先生有關如何理解傳統與現代、東方與西方、中國文化、民主政治的論述，我覺得是非常深刻的，對今天的我們仍然啓發良多。

徐先生說：「我的根本動機和努力的方向，都在中國文化的再認識，想由此以確定中國文化的內容、意義、地位，以幫助中國人在精神上能站起來。」

「中國文化對今後人類之有無價値，不關於其與西方文化之有無相合，而關於其曾否提出在西方文化中所未曾提出之問題、方法與結論。」

他又說：「一個人讀了書而腦筋裡沒有問題，這是書還沒有讀進去，所以只有落下心來再細細的讀。讀後腦筋裡有了問題，這便是叩開了讀書的門，所以自然會趕忙的繼續努力。」

不僅在文化問題上，不僅對於我們的讀書與思考，細讀本書，我們會在很多方面獲益匪淺！我覺得這裡有振聾發聵的聲音，當頭棒喝，醍醐灌頂！我竭力向讀者推薦本書，特別希望青年學子都來讀這本書，不爲別的，只爲昇華各位自己的精神生命！

是爲序。

郭齊勇　戊戌年春節于武漢大學

徐復觀教授看世界 時論文摘 IV

編者序

我們從徐復觀教授（一九〇三—一九八二）三百餘萬字的「時論」中，摘、輯了六百餘則的文句，內容涵蓋了徐復觀教授要傳送給社會的訊息，和他對社會的觀察、批判及建議，編成本書。我們的初心，是期望能比較全面的、完整的呈顯出徐復觀教授人生中廣接地氣的一面。

《論語》記錄了孔子教學生要如何修身、告訴君主該如何治國，完整的規劃出：個人的行爲、人與人之間的關係，以及治國的方向和原則。

徐復觀教授是二十世紀新儒家中唯一奉《論語》爲最高經典的學者。如果在二十一世紀閱讀徐復觀教授撰寫於一九四九年至一九八二年間的「時論」，依然能感受到時代和社會的脈動，那就基本上正面回答了「儒家學說是否能引導中國向上提升和向前邁進」這個問題。

我們相信這是徐復觀教授希望能看到的。

感謝：郭齊勇教授撰序；陳樹衡先生題封面；不具名的學者和王晨光博士詳細的審閱文稿，對書的結構內容安排提出看法和建議。

徐武軍　徐元纯　敬誌，二〇一八年春

徐復觀教授看世界 時論文摘

總目次

卷一之四

四之二卷

四之三卷

四之四卷

拾、民族主義與民主政治

民族主義與民主政治之一

『我可以斷言真誠談道統的人，他對於自己國家民族的歷史，對於比他早死了幾千年的、為了文化真切用過一番苦心的先哲，總是多一種親切之情、虔誠之感、謙敬之意。這較之以一種陰狠狂妄之氣，不問青紅皂白、一口抹煞他自己的祖宗，罵自己的祖宗一錢不值的人們，其在政治上，當更容易接近民主。

『近代的自然科學，正和民主政治一樣，都是在英國得到健全的發展。歷史家追尋其故，多認為係英國有數百年安定的社會環境，適於培養科學與民主。而致此之由，則為英國人重視傳統，踏著傳統而安定的前進。』

——一九五二／五／一，〈儒家精神之基本性格及其限定與新生〉，《民主評論》三卷十期

民族主義與民主政治之二

『農村，是中國人土生土長的地方。一個人、一個集團、一個民族，到了忘記他的土生土長，到了不能對他土生土長之地分給一滴感情，到了不能從他的土生土長中吸取一滴生命的泉水，則他將忘記一切，將是對一切無情，將從任何地方都得不到真正的生命。這種個人、集團、民族的運命，大概也會所餘無幾了。』

——一九五二／八／一，〈誰賦幽風七月篇〉，《民主評論》第三卷第十六期

民族主義與民主政治之三

『單就民族主義與民主主義的關聯來說，可以得到三個初步地結論。

『第一、有力的民族主義，是出於某一民族的構成分子有連帶感的自覺，這是人種自覺的一種重大形式。此一自覺的形式，表面上與個人自覺的形式好像不同；然在伸張理性、否定權威、以獲得在平等基礎上的自由，則是完全一致。

『第二、任何人不能設想到處於殖民地或半殖民地的人們，能實現什麼民主。

『第三、任何的價值觀念，必須先在個體上生根，否則不僅會完全落空，並且會產生重大的弊害；各種價值須在個體上生根，並非等於是在個體上便能得到價值的完成、解決。

『個人主義，在抵抗某一個人（如大獨裁者）或某一小特殊階級、拿著群體的名義（國家、民族、階級、神國等）以否定個體的基本價值、因而毒害每一個體時，有其特別的意義。

『若把個人主義完全孤立起來，甚至拿個人主義的招牌來否定群體生活，抵抗群體的共同要求願望時，則個人主義不僅會成為負號的意義，而且也會成為廢話玄談，勢必流入虛無主義，而虛無主義的轉手便是極權主義。』

——一九五八／九／十六，〈反集權主義與反殖民主義〉，《民主評論》九卷十八期

民族主義與民主政治之四

『殖民主義，是在政治、經濟、文化三方面作有機地出現，而以在文化方面者最為深刻、徹底。

『文化殖民主義的特點，是否定各民族傳統文化系統，而要代之以自認為是優秀民族的價值系統。

『民族主義的自覺，必隨之而有作為民族生命的民族地價值文化的覺醒。』

——一九五八／九／十六，〈反極權主義與反殖民主義〉，《民主評論》九卷十八期

民族主義與民主政治之五

『歷史的事實告訴我們，先有了近代民族國家的成立，才有進一步的民主政治活動。

『「民族國家」之成立，是近代政治的開端；各國國民運動的總目標，可用「對外求獨立，對內求統一」二語加以概括。

『民族的形成，乃歷史文化成長的結果。所以民族自決，同時即是歷史文化的自覺。從中、外的歷史看，決發現不出一刀砍斷他的歷史文化而能復興的民族。』

——一九五八／九／十六，〈反極權主義與反殖民主義〉，《民主評論》九卷十八期

民族主義與民主政治之六

『凡是扛著任何招牌來壓迫自己的族類，甚至以自己國家、民族的不幸為自己的幸福的人，站在自己族類的立場上說，他固然是叛徒，站在他所扛的招牌來說，一樣也是叛徒。

『在苦難的時代，不同著我們自己的族類站在一起、不通過族類之愛來把自己的命運和族類的命運緊連在一起，而想以「獄裡亡魂」的方式，來解決自己的問題，這是可憐的，可笑的，到頭來也是落空的。』

——一九五九／十二，〈苦難時代的知識青年〉，《東風》一卷九期

民族主義與民主政治之七

『義和拳事件的本身是愚蠢的；但愚蠢也並不同於罪惡。而此一事件發生的背景，是來自當時中國社會裡的流氓、地痞，假諸當時洋人的力量，對中國廣大社會的精神生活與風俗習慣，作肆無忌憚的侵凌，因而激起了無可奈何的反抗，以致為清室所利用。這種反抗性卻含有偉大地歷史意義。

『假使太平天國只是基於民族對滿清統治的反抗意識，而不另堅持什麼「上帝教」，則曾國藩這一批知識份子，決不會投袂而起。他們之所以投袂而起，是「忍令華夏衣冠，淪於夷狄。」

『東方人們所待望於西方的是民主、科學，而決不是上帝教。』

一九六三／六／十八，〈宗教鬥爭與東南亞前途〉，《華僑日報》

民族主義與民主政治之八

『最近我看到一篇文章，說英國人做禮拜時是面對基督教，但他們實際的宗教卻是愛國主義。所以常常能從暴力革命的邊緣渡過去，即是靠著這種愛國主義。

『政治中的右派，右到不要傷害國家的利益；政治中的左派，左到不要傷害國期的利益；當然可以避免暴力革命。』

——一九六四／十一／二十六，〈文化上的家與國〉，《華僑日報》

民族主義與民主政治之九

『西方進入近代的第一步，即是「民族國家的成立」。

『所以他們的個人主義，乃是生根在民族國家之上的個人主義。

『他們的自由，乃是生根在民族國家獨立之上的自由。』

——一九六五／四／五，〈歷史與民族〉，《華僑日報》

民族主義與民主政治之十

『所謂國家的兩重性格，是指政治的國家，與民族的國家的兩重性格而言。

『政治的國家，是由一個朝代的朝廷所代表的。

『民族的國家，是由子子孫孫繼承不絕的老百姓的生活共同體所形成的。

『司馬遷作史紀，將陳涉比之於湯武革命，這實際是繼承孔子之後，瞭解民族國家的地位是遠在政治國家之上。為了民族國家的生存而打倒一人、一家的政治國家，乃儒家的大義所在。

『我們的歷史，政治的國家亡掉了多少次；但我們的民族國家，則在壓迫、挫折中，還是不斷地發展；這即夠說明我們由文化所鎔鑄成的生活共同體，有它真正深厚而偉大的生命力。

『兩重性格的分離，事實上是人類一種大的災難。在分離中，一定是政治國家吞噬著民族國家的生命。對於這種吞噬沒有反抗的力量時，最後民族國家，也會隨政治國家而同歸於盡。

『國家兩重性格的完全合一，才是真正「為萬世開太平」。但這決不能求之於任何型態的專制政治之下，而只能得之於真正地民主。』

——一九六五／五／二十八，〈國家的兩重性格〉，《華僑日報》

民族主義與民主政治之十一

『由對自己文化的尊重而來的民族自尊心，及與此相關聯的國家獨立意識，乃是任何國家一切建設的前提條件。但與殖民主義所追求的殖民的目的，卻是背道而馳的。因為殖民主義，只能建立在自卑、自賤的民族之上；而對於自己文化的誣蔑、侮辱，正是自卑、自賤的動力和表現。』

——一九六六／八／二十八，〈孔子德治思想發微〉，《孔孟月刊》四卷十二期

民族主義與民主政治之十二

『人民有反對政府的權利，沒有反對自己的國家、民族的權利。政府可以寬容反對政治設施者的意見，但不能寬容反對自己國家、民族者的意見，除非政府自己走上了反國家、民族的路。』

——一九七二／一／十四，〈「台獨」是什麼東西！〉，《華僑日報》

民族主義與民主政治之十三

『金日成在招待日本每日新聞訪問團的講話中，有這樣的幾句：「我們的主體思想，證明了與其倚賴某些既成的公式、命題，不如就自國人民的利益與自國的實情來解決一切問題的黨路線，是正確的。

『從這幾句話中，我們可以獲知由朝鮮人民的利益及朝鮮的實情所凝聚的思想，所創造的思想，是針對依附著「某些既成公式命題」而言。而他們說的「某些既成公式命題」，當然指的是馬列主義乃至史達林主義。

『北韓的勞動黨當然是在馬列主義孕育之下所產生的。他們前進的方向，很明顯地是社會主義的方向。「主體思想」的提出，我想，並不是對馬列主義的全般否定，而是要馬列主義為韓國人民所用，韓國人民不為馬列主義所用。馬列主義的精神，合於韓國人民利益者取之，不合者捨之。

『把韓國人民的利益與實情，安放在馬列主義的上位，因而可以真正看到韓國的人民、看到韓國的歷史與現在。我每遇著對歷史上現實上的問題，引用幾句馬列的言論便自鳴得意地覺得解決了的情形，總不免復生一種恥辱之感。我想，這種恥辱，在北韓大概不會發生的。

『在特別強調「觀念」作用的共黨體制之中，有了「主體思想」，才能有「自立的經濟」才能有獨立的民族國家。』

——一九七二／九／二十七，〈朝顯勞動黨的「主體思想」〉，《華僑日報》

民族主義與民主政治之十四

『我是一個原始的中國人。原始中國人，對於他所自身的國家，自然有一種原始的愛。正因為如此，所以對於自己國家的許多問題，不能無聞無見，不能無視無感。

『原始中國人，抱有與一切國家、民族和平相處的熱望，也抱有反抗由任何國家所加來的壓迫的決心。

『在前二十年，國民黨主張「抗俄」，共產黨主張「一面倒」。作為一個原始中國人，寧願站在「抗俄」的這一邊，反對一面倒的路線。從我們耳有聞、目有見的時候起，就知道俄國鯨吞我們的土地最多最大，而且它的野心是永無限制的。為什麼要向它一面倒？「一面倒」是中國共產黨的真理，不是原始中國人的真理。

『自一九六〇年以來，中共對俄的政策，已由一面倒向而走向全力抗俄。

『反抗蘇俄的理由之一，是因為它是「蘇修」；一切國家，都可以走它自己願走的路線，蘇俄走修正主義路線，與中國何干？中國有什麼權利去反對它？

『中共在反對「蘇修」之外，還在反對「社帝」。從這一方面說，是符合原始中國人的願望的。原始中國人，不能接受中共統治所加於我們的生活方式，但不能因此而反對中共反抗蘇俄的壓迫與禍心。

『若有人想由此以打開「聯俄反共」之路，忘記蘇俄過去所給與於我們的教訓；不了解蘇俄今日的壓迫中共，主要是想宰割我們的土地人民，而不僅在於毛澤東；不了解蘇俄貪婪無厭的民族性，及其對附庸國家的殘酷剝削，而貿然作飲鴆止渴之計，則我這個原始中國人，便期期以為不可。

『國、共都吃過蘇俄的大虧，誰能把國家的命運輕於一試呢？』

——一九七二／三／十七，〈一個原始中國人看中、俄關係〉，《華僑日報》

民族主義與民主政治之十五

『推而到一個國家，它的生存，也有自立與他力之別。

『合作與互助，這是自個人以至國家，不僅不可缺少，甚至這也是一種責任、義務，這不是此處所說的他力。一個新建立的國家，乃至在特殊狀況下的國家，接受他國的援助，也不是此處所說的他力。自立與他力，乃決定於立國的精神及其實際的行動。以自立的精神立國，並把這種精神表現在廣大而深刻的行動上，則外來的援助乃是加強自力更生；國家的命運，依然操在自己手上。

『沒有真正自立的精神、沒有真正自立的行動、完全倚靠外來的援助以圖生存，甚至以外援為私利、因外援而益增偷惰之私，這才真正是倚靠外力的國家。倚靠外力的國家，其命運必然操在他人手上。

『南越的情形特殊，一直是倚靠美國以立國。日本駐南越大使奈良靖彥，在一個座談會上的發言：「美國與北越的和平交涉，可以把南越忘記了。但實際作戰的是南、北越。」』

——一九七二／十二／五，〈自立與他力〉，《華僑日報》

民族主義與民主政治之十六

『只有真正的愛國主義者，才能瞭解自己國家的問題，把握自己國家的問題。因為愛自己的國家，才肯把精神用在與私人利害沒有直接關連的國家問題上面去，認真地看，認真地想。並且國家的重大問題，只有忘記自己私人利害時，才能突破許多蠻煙惡瘴，而看得出、想得下。』

——一九七四／三／二十六，〈蘇聯統治者的意識形態與謊言〉，《華僑日報》

民族主義與民主政治之十七

『沒有民族主義的自由民主，是奴才型的自由民主。或許美國在世界上追求的正是這種奴才型的自由民主。』

——一九七三／四／二十五，〈生活的意識、型態，決定生存的權利〉，《華僑日報》

民族主義與民主政治之十八

『我則堅持任何政權，任何政權的領導者，只是自己國族歷史中的「過客」。

『即使流芳百世的過客，也不等於國族。政權的是非、利害，並不等於國族的是非利害。負責的作者，便在以國族的是非、利害，批判政權的是非、利害。若當政權的某種行動與國族的是非利害相合時，站在國族的是非利害的立場，對此種行動加以支持讚揚，並不等於對政權的全部支持、讚揚。

『這便是把民族的是非利害，高置於個人是非、利害之上。

『因歷史和地緣的關係，我對胡志明、對越共，經常保持相當的好感。對越共態度的轉變，不僅因他們對華僑的虐待，而且因他已確確實實的成為蘇聯在東方的古巴；他的每一行動，都成為蘇聯想滅亡中國併吞東南亞的一部份，一步驟。這樣一來，國族的利害、是非，自然而然的壓倒了對中共政權的利害、是非，認定中共的自衛還擊戰，是出於不得已的與國族利害、是非完全符合之戰。

『法國的殖民主義，較英國的殘酷。日本的殖民主義，又較法國的殘酷。蘇聯的殖民主義，更不是日本的可比擬於萬一。在現狀下，沒有方法可以解決國內的政治鬪爭；但此一鬪爭，應當在國族大利大害之前，得到自然地約制。

『任何國家的政權，不可能獲得全民由衷地承認。假定把對內的意見分歧，直接反映在國族大利大害之上，由此所造成的國族生存的危機，是不可估計的。』

——一九七九／四／十七——十八，〈國族與政權〉，《華僑日報》

民族主義與民主政治之十九

「然則這樣大的國家，可以沒有掌總舵的思想，以豎立大綱維、標示大方向嗎？

「我認為是需要的，並且也是極現成的，這即是「愛國思想」。

「愛國思想，是愛祖國的山河大地、是愛祖國的男女同胞。這些山河大地，男女同胞，是由長期的歷史文化所融合在一起，因而自然進入到每一個人的精神中，以成為一體的。所以愛國思想，同時必然會愛自己的先聖先賢、列祖列宗。某種主義思想，有益於國家，我們便「愛屋及烏」的也愛它；假定有害於國家，我們便可發揮國家主人的權力去唾棄它。只有在國土完整、主權獨立的情形下，我們才不致隨意被人屠殺、不致隨意被人消滅；一旦敵國外患壓頂，只要自己的政府能奮起反抗，人民也只好暫時棄異同之見，給政府以支持，此之謂愛國思想。假定統治者也有愛國思想，一定會把國家、人民的利益，高舉於個人及黨派利益之上，以決定政府的政策。

『數十年的經驗教訓，證明了凡是把自己安置於國家之上，乃至以思想、主義抹煞國家的真實性的人或黨派，結果便必然是走上勾結番邦，以保持個人或黨派利益的國家罪人之路。

『愛國思想，才是今日樹立綱維、標示大方向的思想。』

——一九七九／七／四、十七，〈試彈思想解放〉，《華僑日報》

民族主義與民主政治之二十

『正常地國家意識，依然是決定大是大非，大利大害的標準，也是團結人民的大熔爐。』

——一九八〇／七／二十二，〈一個普通中國人眼裡的毛澤東〉，《華僑日報》

民族主義與民主政治之二十一

『共黨的理論，盡量地貶低國家的意義，把黨壓在國的頭上，要求全國人民，以愛黨代替愛國。國與黨的關係，從空間說，任何黨的黨員，只能是國民中的一部分。從時間說，任何黨的歷史，只能佔國家歷史的一片斷。

『國家是一切人民永恆的褓母。它對一切人民，只有功而絕沒有罪。所以一切人民都有愛國的義務。任何政黨，都是通過它對國家的作為而有功、有罪。是國家審判任何政黨，任何政黨都不能審判國家。

『任何黨的黨員，必須先有國家意識才會成為一個好黨員；沒有國家意識而只有黨意識的，斷乎不能成為一個好黨員。

『一切主義是為國家而存在，斷乎不是國家為任何主義而存在。

『中共真要實踐愛國主義，應以誠懇向國家贖罪的心情，首先把國與黨的地位端正過來。

並在觀念上承認人民可以愛國而不愛黨。刑法上應只有叛國罪，沒有叛黨罪。

『提出了愛國主義，自然要肯定國家的歷史文化，自然要肯定歷史文化中有貢獻的人物。』

——一九八一／四／二十四，〈試評中共愛國主義〉，《華僑日報》

民族主義與民主政治之二十二

『從近代歷史教訓看，民主政治，只能實現於一個對外有國家主權底疆土之上。十六世紀後歐洲各民族國家的逐漸成立，可以說是準備了實現民主政治的前提。最不幸的是，西方國家開始是向教堂、向皇帝爭取此前提，而東方則正是向民主先進的西方國家爭取此一前提。』

——一九八一／九／二十九—十／一，〈孔子政治思想對現代中國的「照臨」〉，《華僑日報》

民族主義與民主政治之二十三

『中國文化，尤其是作為中國文化主流的儒家，是非常重視國家統一的。孔子修春秋、尊周攘夷，即為出於「大（尊重）一統」的要求，這是由漢以來，共同承認的「大義」。『並且孔子所提倡的「忠信」、「忠恕」之道，便在教養出以「四海為一家」、以「中國為一人」的堂堂正正的「中國人」；這種「中國人」正是不可動搖的統一的基礎。而事實上，儒家之教，在歷史中，正盡到了從文化上統一國家的作用。』

——一九八一／十／十五，〈我對葉劍英所提九點和平統一號召的若干想法〉，《百姓期刊》十期

拾壹、國際政治

拾壹之一、總論

國際政治總論之一

『孟子說，以小事大是「畏天」。所謂「畏天」，是由於對於人民、社稷存亡的責任感而來的一種敬畏精神，在此種精神基礎上的事大，便只會產生艱苦的奮鬥，而絕不會屈服偷生。

『以大事小是「樂天」。所謂「樂天」，是以天的並生、並育為樂，於是對於弱國總是存「寬洪惻怛」之心去涵融。

『在中國文化中人與人的關係、國與國的關係，以禮為共同遵守的準繩，並以有禮與無禮為文明（華）或野蠻（夷）的分別。

『我們可以把歷史實踐中對外的原則歸納為下面的三點：第一、在受到外力的壓迫侵害時，便主張撻伐；在自己強盛而四夷衰弱時，則主張寬大；在自己不十分強盛，而四夷也無力大舉侵害時，則主張羈縻。

『尤以「羈縻」兩字，表現出中國民族對外的現實態度。所謂羈縻的實際意義，乃是吃小虧、上小當，不和人斤斤計較，維持一種可以勉強相安的局面的態度。』

——一九五七／七／一，〈中國文化的對外態度與義和團事件〉，《民主評論》八卷十三期

國際政治總論之二

『世界動亂的基本因素：

『（一）是由於少數人在政治和經濟上的權利，與多數人發生了衝突。這可以解釋許多落後地區為什麼不能得到安定的原因。

『（二）是我們目前既成的生活格式或意識形態，與世界上所發生的新情勢發生了衝突。例如西方的資本主義，與它們的殖民主義本是不可分的；所以他們便無形之中，認為殖民政策是天經地義。但目前民族的覺醒，已經深入亞、非各民族之間；這便與沉浸於殖民主義之中的西方人發生衝突。』

——一九六一／一，〈動亂時代中的大學生〉，《東風》二卷一期

國際政治總論之三

『從國際關係上來看人類的歷史，乃是一部強凌弱、大欺小的歷史。也是小國想成大國，弱國要成為強國的奮鬪歷史。

『在二十世紀以前，小國還有成為強國的機會；例如瑞典、西班牙、法國、英國、日本等皆是。不過，進入到二十世紀以後，尤其是經過了兩次的世界大戰，儘管大國並非一定是強國；但小國卻很難成為強國。

『小國在今日欲圖自存自保，只有兩條路可以走：一是與大國結盟，以抵抗另一假想敵的大國。另一是小國相互結盟、弱國相互結盟。

『古今中外，斷沒有專靠對外關係可以久存的。今日的小國，努力的目標，不應當是「強」，而應當是「善」。

『強國是表現力量，而善國則是表現價值，以國家的組織來發揮人類的理想、實現人類的價值，使每一個人，都能「養其生而遂其性」，這即是所謂善國。

『善國並不排斥強國的觀念，強國也不排斥善國的觀念。

『若以善國為目的，是在「善」與「強」，二者選一時，寧願選「善」而不選「強」。

『大國犧牲某程度的善以求強，尚可達到求強的目的。今日的小國，即使犧牲求善並不能達到求強的目的。以強為目的，力量的擴張，同時即是力量的消耗，這不是一個小國可以長期負擔得了的。真正向善國的努力，是從社會上，蓄積培養現實上所需要的力量。善國所蓄積培養的力量，是把經濟、文化、人心，及正義等結合在一起。』

——一九六二／五／二十七，〈強國與善國〉，《華僑日報》

國際政治總論之四

『在共產主義陣營之內，已經由以國為主的軍國主義演進向人種主義。今日反共的人們，喜歡用「東方」、「西方」的名詞來表示兩對敵勢力，這證明是人種主義的反共。而共產黨陣營中的分裂，也是人種主義的分裂。過去亞、非集團的形成，也是人種主義的形成。這縱然不是主導今日國際動態的唯一因素，也不能不說是一種重要地因素。』

——一九六三／三／十八，〈褪了色的共產主義〉，《華僑日報》

國際政治總論之五

『新的獨立國家，為了解決自身許多困難問題，對西方的殖民主義，必須有所抗拒，這是理、勢所必然的。這種抗拒，只是為了掃除自己建設國家的障礙，並不能從這種抗拒中，直接得到建國的成果。國家平等自由的真正保障，是由國家的文化、經濟、軍事等所表現的力量。這些力量，不是靠撿便宜，弄權術可以得來的，而是要靠團結全國人民，作艱苦的努力，在成績上與世界先進國家爭一日之短長，才可以得到的。政治領導者是否盡了領導的責任、國家是否有真正的前途，都要在這一尺度上來加以裁定。此之謂「求其在己」、「盡其在己」。能求其在己、盡其在己，則一個國家的精神氣力，都集中到自己的實際工作之上，只希望從實際工作中得到真實的效果。』

——一九六七／六／十一，〈保障世界和平不能缺少的一個基本原則〉，《華僑日報》

國際政治總論之六

『東南亞的和平安定，繫於東南亞的能否中立。』

——一九七一／十二／三，〈東南亞和平安定的基本問題〉，《華僑日報》

國際政治總論之七

『越南停戰協定，業經於一月二十八日生效。這不是越南的和平，因為導致這次戰爭的越南內部衝突，不僅原封未動，而且在心理上、在形勢上，實際更為激化。

『不是越南現狀的承認，因為北越和南越的解放陣線，只以此次協定為打開全國解放、全國統一之門。此一協定的真正意義，只在使美國能於「掩耳盜鈴」的手法下，從泥沼中拔出大腿飛跑。

『另一意義，即是越南人從第二次世界大戰結束以來，開始得到由自己解答自己命運的機會。』

——一九七二／二／二，〈「掩耳盜鈴」式的抽身手法〉，《華僑日報》

國際政治總論之八

『大國的支持只是大國自己國際政治的運用。國際形勢變了，大國的政策就會主動地變，一切口頭乃至文字上的友誼，立刻成為空談。

『兩方（註：印度、巴基斯坦）共同的智慧，表現在承認「和平」的利益高於一切；並知道這種和平的利益，只有兩國直接談判達成，而不要第三國的參與。』

——一九七二／七／八，〈人類的智慧來自東方〉，《華僑日報》

國際政治總論之九

『南、北韓須倚賴大國以圖生存，大國則運用小國以作冷戰的工具，這本是互相利用的。但大國可以跨過小國的頭頂，作一百八十度的轉變，這即證明大國過去對小國信誓旦旦且所說的一切，都是廢話、鬼話。有志氣，有智慧的小國又為什麼不可以撇開大國，以互讓的精神，自求出路呢？』

——一九七二／七／十二—十三，〈南、北韓初步和解的背景與難題〉，《華僑日報》

國際政治總論之十

『第二次世界大戰，發財發得最大的是美國，吞贓吞得最多的是蘇俄。美國因為要當世界警察而把發的財的大部分吐了出來；蘇俄則以保存、消化贓物，並準備一有機會，便再大撈一票，成為它的基本政略與策略。』

——一九七二／十／十，〈蘇聯西方政策的演變〉，《華僑日報》

國際政治總論之十一

『目前東德的急務，在養成自身獨立的精神與志氣。他們以最大的努力，從事於德國傳統文化的承擔與復興。他們認為有了文化的獨立，才有精神的獨立。有了精神的獨立，才有志氣從蘇聯手中爭取名實相符的國家的獨立。波茨坦的一位「藝術之家」的負責者曾向人說：「使人民保有德國古典文化的光榮，即是使德國民主共和國的青年們保持自己的自信。」由傳統文化的傳承、推進，以培養人民的獨立精神，及由獨立精神而來的信心。』

——一九七三／五／二十五，〈在蘇聯壓榨下東德的現在與將來〉，《華僑日報》

國際政治總論之十二

『中小國家，只有在和平中才能保持自己的獨立，才能發揮某種程度的獨立意志。不走向和平之路而一定要走戰爭之路，其勢非倒向兩大超級強國中的某一方面不可。

『戰爭是實力的較量，構成實力的是武器，生產武器的是經濟能力及科學技術的成就。所以國際政治進入到戰爭狀況時，勢必重新劃分為美、蘇兩大陣營，勢必由美、蘇加以控制。』

——一九七三／十一／二十，〈國際政治的一次重大複雜地考驗〉，《華僑日報》

國際政治總論之十三

『第二次世界大戰復原後，以大量生產為經濟進展的方向。

『大量生產，必然要求大量消費；必然引發以消費量來建立人生的價值。

『這樣便必然會出現三大問題。第一、地球的許多資源本是有限的，有的資源是不能代替的，像這樣累長增高地消費下去，等於斷絕了後代子孫的生路。第二、大量消費，必然會以人造的功能，代替人生而即有的本能，長期下去，人生而即有的本能，會一天一天地消退，使老子「五色令人目盲」的話，在廣大的人類中出現。第三、整個人生都在消費中輪迴角逐，必然以消費代替其他一切人生價值。

『這意味著人的地位的失墜、人的「自我」的否定，終必至於人相食而後止。』

——一九七四／一／八，〈世界正進入一個新地時代〉，《華僑日報》

國際政治總論之十四

『站在人的立場，不能不講良心。站在國家的立場，不能不計利害。』

——一九七四／五／二十三，〈以色列人該放棄「冤冤相報」的觀念〉，《華僑日報》

國際政治總論之十五

『概括性的國際政治組織的出現，常常是大規模戰爭的結果。而概括性的國際政治組織的沒落，也必然地意味著另一次大規模戰爭的開端。

『聯合國的沒落以致死亡，是說明國際間的不同體制與不同利益，再沒有由談判以得到妥協的機會，彼此只有訴之以武力了。』

——一九七五／二／四，〈聯合國與地界大戰〉，《華僑日報》

國際政治總論之十六

『春秋時代的早期，鄭國受到齊國的攻擊。他的臣子孔叔向鄭君供意見説：「諺有之曰，心則不競（強），何憚（怕）於病（屈辱）。既不能強，又不能弱，所以斃也。」這幾句話，似乎是完全針對美國的東南亞政策來説的。

『美國既不能「強」，便應當承認自己的「弱」，以減少東南亞的人民所流的毫無結果、毫無希望的血。』

——一九七五／三／十九，〈應當是美國「撤手歸西」的時候〉，《華僑日報》

國際政治總論之十七

『對同一問題，因現實利益的不同，以致引起觀點的不同，這是容易了解的。國府與美國，在維持臺、港現狀這一點上，是利害相同的。但美國的外交策略，是世界性的外交策略；而其目前重點，在如何阻遏蘇聯繼續向外擴張。

『因人種、國家等界限，對同一問題，自然有「關切」、「不關切」的不同，及關切程度的不同，因而在感受與判斷上各異其趣。同一現象，發生在蘇聯，及發生在中國大陸，西方的反應，經常是不同的。這便有由白色人種與黃色人種而來的「關切」不同的根源在裡面。

『一個有「國家意識」的中國人，與沒有「國家意識」的中國人，對同一問題，也必然表現出兩種不同的態度。實際也是來自「關切」不同的程度。關切之至，自然忘記自身的利害。不關切之至，自然便只有自身的利害。

『毛澤東希望西方越亂越好，西方又何嘗不希望中國越亂越好。中美一時互相利用的後面，還有水火不相容的制度問題，更有長遠的國家利害問題。中共完全站不起來，被利用的價值固然減低；但若中共真能做到四個現代化，由趕上而超過時，在美國人的長遠打算中，會覺得是一件好事嗎？』

——一九七六／四／二十一，〈國事雜談〉《華僑日報》

國際政治總論之十八

『資本帝國主義的美國、社會帝國主義的蘇聯，儘管對中共所表現的面貌、策略不同，但最後的目的卻是一致，即是要以陰謀詭計，玩弄中共，使中國永遠停滯在二等國家、乃至三等國家的地位，以達到他們分治世界的野心。』

——一九七六／五／五，〈「兩帝」對中共的陰謀毒計〉，《華僑日報》

國際政治總論之十九

『從全般局勢看，中、日、美、歐，是受到同一來源的威脅，在戰略的利害上應當是一致的。中共與美國關係正常化，又與日本訂有和平友好條約，可以說對蘇聯形成了反包圍，處於有利的趨勢。但事實上並非如此。問題是出在日本不是一個可以共患難的朋友，他豈特不會與中共共患難，也不會與美國共患難。一旦有事，誰能保證他不犧牲共同利益以求得一時的便利。更重要的是：中、美之間，只在求得聲勢上的均衡，並非得到實力上的均衡。聲勢上的均衡不能演進到實力上的均衡時，這種均衡是受不起考驗，而隨時會破滅的。』

——一九七九／八／十五，〈從世界戰略形勢看中越是否再戰〉，《華僑日報》

國際政治總論之二十

『基督教不是超歷史的存在。中世紀教會由權力而來的自身腐敗黑暗，至馬丁・路得良心自由的提出，才告一轉機。進入近代第一步的民族國家的成立，是經過了與基督教的鬥爭；科學的興起，更經過了與基督教的鬥爭。因為教會的獨斷、獨裁，不同於皇權專制的以血統為基礎，這才在阻擋歷史前進中，依然保持了他們在歷史中的適應能力。但他們與政治的許多糾葛要到近代民主政治，實現了政教分離、信仰自由、才算解脫掉。

『可是他們在廣大政治落後地區的傳教事業，必然利用政治權勢，介入政治權勢。

『人民由良心的自由而信仰某種宗教，這不僅是人民的基本權利，而且也不致妨礙政治的合理活動。共產黨之所以要禁絕宗教信仰，乃來自他們對傳統價值的完全否定，即要徹底掌握住人民心、物兩方面生活的「專政」的要求。

『基督教是以武力打開中國教區，與殖民主義有不可分的關係，所以他們在中國的勢力，主要是由壓伏的「吃教」而來。也會引發共產黨以外的人民反基督教情緒。

『共產黨雖然排斥基督教，但許多鬥爭技術，專政技術，確是學自基督教。總結地說，都是為目的不擇手段；反覆著連自己也並不相信的虛言誑語去爭取一個人的信教、信黨。

『這些教士的偷運工作（註：聖經），是以與中共政府作戰的心理而進行的；最低限度，是以藐視中共政府的心理而進行的。其目的除了誇耀教會勢力的擴張外，中國人民究竟得到什麼？」

——一九八一／十／二十八，〈「偷運聖經」的意義是什麼？〉，《華僑日報》

拾壹之二、各論

拾壹之二之一、美國

國際政治各論 美國之一

『美國教會要在臺灣辦個大學，美國教會派來的代表，第一個要求是教、職員要一律是基督教徒。

『共產黨堅持學術思想的「黨派性」，排斥異己，所以我們要打倒它。

『二十世紀五十年代的美國教會，也一樣的堅持學術思想的「教派性」，他們覺得基督教與非基督教所教的物理、化學、數學、文學等等，有大大的不同；覺得基督的博愛精神，便是永遠的要教徒與非教徒之間劃一條不可逾越界線。

『這是什麼學術獨立、學術自由？其用心和共產黨有什麼分別？

『教會在中國辦過不少的大學，正因為這種宗派性，所以有血性的學生，激憤而跑到共產黨方面去。紈褲子弟們則充當各形各色的買辦，只有最少數的作宗教活動或學術活動。

『美國教會反省的結果：卻認為是「教派化」的程度不夠。這和我們自由中國的政治領袖們所做的政治反省，如出一轍。』

——一九五四／十／二十五，〈中國人與美國人〉，《華僑日報》

國際政治各論 美國之二

『在我的了解，美國乃是由它的「開明地利益」來支持它在東方的行動；只有在它感到東方的落後的家族政治，必然會直接影響到它的「開明地利益」時，它才會想到民主政治。

『就我觀察，凡是通過美國的傳教而信仰宗教的人，多發生民族意識消退，更不關心民主政治這一類問題的影響。同時，為美國所捧的東方的知識份子，多半是「女生外向」，絕不真正關心祖國民主問題的知識份子。』

——一九六三／十二／一，〈良心、政治、東方人〉，《民主評論》十四卷二十三期

國際政治各論 美國之三

『許多落後地區要靠他們自身民族精神的激勵，才可站得起來；在西方長期殖民主義統治之下，一旦有了民族的覺醒，便不是任何力量所能阻止得住。

『（註：美國）參與國際活動的兩大柱石，一是宗教的傳教活動；一是文化機關的文化活動。這兩大支柱的一個共同特色是，在各種技巧之下，要消滅各地區的民族精神，使和他們接近的人，都變成沒有民族性的「中性人」。傳教者使用的方法是天國，而文化活動使用的方法是自由民主。

『削掉了民族精神的自由民主，有如經過閹割了的一隻公雞。』

——一九七一／十／十一，〈美國人應當接受的三大教訓〉，《華僑日報》

國際政治各論 美國之四

『美國人此時一面以他們是站在人類歷史的進步的最尖端自居；另一方面則認為中國人到現在還守著古老的習慣，依然過著原始生活。

『此一觀念普遍存在於美國教會人士之中；卻在觀念上一轉，把民主不民主的問題，轉為信神不信神的問題。他們的邏輯是因為中國人不信他們所信的神，所以便落後、便沒有民主、便是生存於黑暗之中。他們由此而引發一種使命感，要由他們的教養、他們的人生觀、把中國從落後的睡夢中喚醒，因而也能得到進步與自由。這就是世人所說的美國外交中的理想主義。

『認定中國文化都是落後的，黑暗的，須要由美國所信的宗教來加以救濟的觀念，不僅一直到現在不斷地影響到中、美關係，並且通過大量的留美學生，傳播到中國內部的知識階級，皆以反傳統文化為進步的標誌。

『他們（註：美國傳教士）認為中國人沒有「罪的意識」，須代他們昨靈魂的救濟。認定中國人是「沉溺於迷信的異教徒」。這種態度，一直到我在台灣私立東海大學教書時，美國人還頑強的保持著。』

——一九七二／六／五，〈中、美關係的回顧與前瞻〉，《華僑日報》

國際政治各論 美國之五

『（一）美國隨國力的伸展，而愈益增加對中國的關心。尤其是在他的經濟發展上，不可能忘記潛力巨大的中國市場。

『（二）傳教士對中、美關係發生了很大的作用。他們站在基督教的立場，由對中國文化的鄙視，發而為輕蔑與憐憫交織在一起的「救濟中國人靈魂」的心理與行為，並造成美國外交，有「理想主義」的一面的印象。但在重要關頭，美國總是採取現實主義。

『（三）美國在中國的現實利益，是以列國在中國的勢力均衡為基點，進而保持世界的均衡。』

——一九七二／六／五，〈中、美規係的回顧與前瞻〉，《華僑日報》

國際政治各論 美國之六

『美國是一個民主基礎尚未動搖的國家。為守住民主體制，並發揮政治上的效能，除了才能智識之外，必須要求人在道德上的考驗，並要求須由發自道德的勇氣以擔當艱鉅、解決艱鉅，而不可以出苟且簡便之私，輕用權術來取速效。』

——一九七三／十一／二十七，〈快到尼克遜辭職的時候〉，《華僑日報》

國際政治各論 美國之七

『美國和西歐，在目前，只受到蘇聯的威脅，沒有受到中共的威脅。他們對蘇聯的威脅假定不斷增加，則自然無力照顧到他們在遠東的影響力，並且「假中以壓蘇」的要求，會越來越重，勢必對中共作各種形式的讓步，承認中共在遠東應有的影響範圍。』

——一九七五／四／二十九，〈國際局勢的轉變、混沌、摸索〉，《華僑日報》

國際政治各論 美國之八

『美國與東方的人與人的關係沒有其他歐洲強國過去殖民的血腥歷史。但是，美國是以大國與小國相交，是以富強之國與貧窮之國相交，又是以「數量文化」與「生活體驗文化」相交。

『由這兩級的文化所塑造的人生態度，如何能沒有扞格呢？於是美國人到處以各種方法，尋找、鼓勵與他們人生態度相同的人，以作交往的對手；在貧窮的國家民族中，當然會有一批一批地應運而生的這種人出來獵取交往的利益。

『我最近看到美國機關所訂定的在台灣租賃房屋的契約；假定把房子燒掉了，也不對房東有任何責任。假定房客與房東發生了糾葛，以美國人自己組織的評議會的決定為最後決定，根本否定了當地的法律及其司法機關。

『美國人的內心裡，和十九世紀歐洲人在殖民地的態度，有一點分別嗎？』

——一九七七／四／十九，〈柬埔寨可驚的實驗〉，《華僑日報》

拾壹之二之二、俄國

國際政治各論 俄國之一

『史達林所實行的共產主義，是要取消「個體」的存在，以成就「全體」的存在；犧牲現在的幸福，以成就將來的幸福。

『但是，人是一個具有知覺、慾望、意志的現實個體。個體與個體之間，固然在精神、物質兩方面，互有其關聯；但絕不肯抹煞了現實底、有自覺底自己個體之存在，以成就所謂不可捉摸的全體。

『所以共產主義在實施的過程中，必須遇著人類自身所發出的反抗。為了克服這種反抗，經濟必須以敲詐壓榨為手段，政治必以恐怖鬥爭為手段。共產黨自身則以「全體」的代理人的資格，站在每一個人的頭上，執行敲詐、壓榨、恐怖、鬥爭的任務。而人民更生活不下去。

『馬林可夫上台後，喊出了提高人民生活水準的口號，鬆弛了農產品集體購銷的實行，加重了消費品生產的比重，提高了農產品的價格。馬林可夫並沒有修正共產主義的野心；但因政治動機的稍微弛緩，將會出馬可臨夫意外的，一步一步的發展下去，走向了違反共產主義的道路上去；這便形成共產黨自身最基本最深刻的危機。』

——一九五五／二／二十二，〈共產主義的危機〉，《中央日報》

國際政治各論 俄國之二

『毛(註:毛澤東)、赫(註:赫魯曉夫)衝突的最根本原因,我認為是來自赫氏所繼承的對中共的附庸的政策,為中共所不能接受。』

——一九六四/六/八,〈對中共,蘇聯鬥爭之一種觀察〉,《華僑日報》

國際政治各論 俄國之三

『毛澤東死後，蘇聯對中共發出了一連串的和平攻勢，為中共所峻拒。

『第一、中共最知道：與蘇聯關係正常化，勢必墮入它的「有限主權」的圈套裡去，這是任何不肯當漢奸的中國人所不能接受的。

『第二、中共目前在爭取西方的合作，尤其是爭取美國的合作，對蘇聯形成東西犄角之勢，以抑制蘇聯的野心。』

——一九六六／十一／三，〈蘇聯「有限主權論」的拓張與貫徹〉，《華僑日報》

國際政治各論 俄國之四

『蘇聯的國際戰略，是以武力為內容，以外交為手段，以削弱美國，包圍中共為目的，而展開的。』

——一九七二／一／七，〈看蘇聯國際外交戰略的進度〉，《華僑日報》

國際政治各論 俄國之五

『蘇聯自史達林開始，即決心要把中國共產化的過程，作為附庸化的過程。不能從共黨組織的內部達到附庸化的目的，便不惜以武力達到附庸化的目的。』

——一九七二／五／二十三，〈蘇聯重視尼克遜的莫斯科之行〉，《華僑日報》

國際政治各論 俄國之六

『戰後擔當艱鉅，使西德從廢墟中站了起來的故總理阿德諾，在他的日記中，曾這樣的寫著：「我相信蘇聯在某一時日之內，會因與中國的對立而廢寢忘餐。並且歐洲會出現和平的日子。耐心等待此一日子的到來——這是我的希望。」阿德諾的意思是說：當中、蘇嚴重對立時，蘇聯不能不在歐洲放手，屆時德國也能得到統一。』

——一九七三／五／二十五，〈在蘇聯壓榨下東德的現在與將來〉，《華僑日報》

國際政治各論　俄國之七

『馬恩主義經過史達林的毒化後，馬、恩所夢想的無產階級地世界革命，一變而成為蘇聯統治者征服世界的藍圖。中共與他的分離，是此一藍圖的鉅大破綻。』

——一九七四／十／三十，〈蘇聯的世界帝國之夢〉，《華僑日報》

國際政治各論 俄國之八

『蘇聯對中共的威脅，是現實性的威脅。而中共對蘇聯的威脅，乃是未來的、潛勢的威脅。

『蘇聯只限於在裝備上，在戰略地位上，要壓倒西方，使西方不敢亂動。假定他要採取軍事行動，依然是先指向中共。因為從他的長期利害看，他絕不會給中共以可乘之隙。』

——一九七六／十／六，〈蘇聯當前的政治戰略〉《華僑日報》

國際政治各論 俄國之九

『站在蘇聯的立場，各國共黨，只要接受他（蘇共）的戰略指揮，他便可以允許各國共黨在戰術上的獨立自主。

『通過精神上的枷鎖去奴役他人，他人會被奴役得心悅誠服，更容易達到「霸權」的野心。這只要想到鴉片戰爭以後，帝國主義者向我國傳教及一般「吃教」者的情形，便容易明白。列寧主義是今日社會帝國主義者手上所運用的新宗教。

『現在西班牙共產黨，連列寧主義也把它丟在地下，這說明它們在精神上再沒有蘇聯的枷鎖，而真正走上獨立之路了。拆「國際運動」的臺，即是拆蘇聯霸權的臺。

『我是一個中國人，凡是蘇聯所痛恨的人，便是我所極力贊成的。』

——一九七八／五／三，〈歐洲共產主義與列寧主義〉，《華僑日報》

國際政治各論 俄國之十

『中共幾次說「蘇聯滅亡中國之心不死」，這是一針見血的話，是每個中國人都應當刻骨銘心的話。』

——一九七八／六／七，〈不僅是「葛伯仇餉」故事的重演〉，《華僑日報》

國際政治各論 俄國之十一

『蘇聯在東方的一切活動，都是為了加緊對中共的包圍，作為滅亡中國的一個步驟。』

——一九七八／六／七，〈不僅是「葛伯仇餉」故事的重演〉，《華僑日報》

國際政治各論 俄國之十二

『在現實上，蘇、越共對東協的笑臉攻勢，是為了抵銷中共的壓力，以便吞掉柬埔寨，並消化已經吞在肚子裡的寮國。當它這一目標完成後的下一目標，只要是有常識的人便極容易看出。我不敢說中共是好鄰人；但在抵擋蘇共的霸權主義上，在箝制越共對外侵略的野心上，他不能不扮演著比較是好鄰人的角色。我的這種看法並非僅僅是站在中國人立場的看法。』

——一九七八／九／十四，〈中（共）、蘇現階段的外交戰〉，《華僑日報》

拾壹之二之三、日本

國際政治各論 日本之一

『日本民族最大的長處是「好善」。孟子說：「好善優於天下」。這是日本能實現明治維新大業的總根源。

『在明治維新之前，日本與中國接觸，便吸收了中國文化；明治維新後的吸收西洋文化，正是此一好善精神的自然成就。日本人應引此自豪。

『日本民族最大的缺點，是在不能「與人為善」。這個「與」字，有推許、協同、助成等意義。

『「與人為善」的精神，在中國文化中，是看作和「好善」的精神，同等重要；並且認為自己好善的人便會與人為善，二者是一個精神的連貫。可是日本民族在這一點上並沒有連貫下來。自己好善，卻並不與人為善，甚至走向相反的方向。

『我在日本陸軍士官學校求學的時候，日本教官對於中國學生，在教課上總是採取保留的態度。中國人在日本受軍事教育的都是如此。因此，凡是稍微有點良心血性的中國留日學生，沒有一個不是堅決反日的。日本人士，不想造就不願與日本作戰的中國人，而只想造就勢非與日本作戰不可，只是在作戰能力上比日本人差一點的中國人。

『日本的「支那通」乃至一般與中國有關的人士，從文化上也不肯和中國的留學生做誠懇的合作。所以中國的留日學生，除了品格太差的以外，大多數認為和日本人在一起，不僅沒有好處，反要受各種不名譽的嫌疑。

『日本過去是把自己的前途，放在鄰國的衰亂以至滅亡的這一基本假定之上。只要中國多出現一分希望，日本便多增加一分對中國侵略的野心。

『日本明治維新的偉業，是亞細亞人的光榮、是有色人種的光榮。但因不樂與人為善的心理，而使其鄰人未受其福，首受其害。日本人士應有勇氣做真正精神的反省。』

——一九五四／五／二十三，〈向日本人士的諍言〉，《中央日報》

國際政治各論 日本之二

『日本民族，有許多特長，有許多美德，所以它在東方也有了最多的近代底成就。但因為它的民族性另一方面的缺點，可以說是「狹心症」的缺點，不能產生偉大的政治家。

『日本政治人物的一般性格：一方面是「客氣」用事，重義氣、喜權謀、少寬大厚重之意；一方面是過於現實，常以投機取巧為能事，缺乏政治遠見，更缺乏基於道義精神的毅力。

『日本所待望的是政治家，而不是英雄。因為日本人的內心深處，只重英雄而不重政治家，只想當英雄而不真想當政治家。』

——一九五五／一／十八，〈從人物方面看日本政治前途〉，《華僑日報》

國際政治各論 日本之三

『日本政權，現在是掌握在保守黨手上；但平心而論在三種地方，依然不能不使人發生雲泥之感。

『第一、他們有「法」的觀念。在政治行動上，他們不會因一時的便宜而把權力衝過法的界限。

『第二、他們在行政上保持相當的效能；他們不以說謊的方式來辯護自己的政策或工作。

『第三、日本的保守政黨雖然依舊帶有「親子分」的封建氣息，但他們知道「農民」是支持他們的社會潛力，很細心地與農民以培育、保護。』

——一九六〇／九／十六，〈人的日本〉，《民主評論》十一卷十八期

國際政治各論 日本之四

『日本在戰前，規律壓倒了自由。在戰後，則自由壓倒了規律。

『日本今日的要求，是規律與自由能得到調和的中庸之道。這種中庸之道，也可以應用到平等與自由的關係上去。也可以應用到道德與自由的關係上去。』

——一九六六／八／二十五，〈在歷史教訓中開闢中庸之道〉，《華僑日報》

國際政治各論　日本之五

『日本在對中國的罪孽深重之下，尚不能激發出他們的良心，日本在國內社會與國際社會中，在什麼地方可以受到良心的控制呢？』

——一九七二／九／二，〈從日本人的良心說起〉，《華僑日報》

國際政治各論 日本之六

『日本是一個相當難了解的民族。和日本私人交朋友，會感到他們對朋友所投出的道義、義氣，常在中國人之上。但若關涉到國家、社會的集體利害問題，也會感到他們的國家觀念太強、進取心太強，因而饕餮無厭、冷酷無情的種種情形。』

——一九七二／九／十二，〈外交神風的極限——有感於一位日本人士之言〉，《華僑日報》

國際政治各論　日本之七

『真正說，日本人是最懂辯證法的運用。它們的執政者，經常運用左翼的聲勢來威脅美國，使自己在經濟上佔盡便宜。自去年起，又開始運用右翼的勢力以威脅中共，逼使中共讓步，依然想在經濟上佔盡便宜。』

——一九七三／一／十二，〈美、日之間的微妙關係〉，《華僑日報》

國際政治各論 日本之八

『日本民族的性格，是極端而又富於投機性的性格。』

——一九七三／二／十八，〈日本社會黨的前途〉，《華僑日報》

國際政治各論 日本之九

『因為認定美國在遠東的政治利益上，不能放棄日本這樣一根台柱。尤其是日本人已倡言不諱的，中（註：中共）、美、蘇都要爭取他，使他繼續韓戰的「經濟神風」後，又要出現一個「外交神風」時代。這樣，他吃定了美國，美國對他也無可奈何。尤其是田中因利乘便，在中共讓步的情形下，作到了「中、日關係正常化」，以為政治上增加了日本的身價，經濟上日本又搶先打開了一個大財源，更又有恃而無恐。』

——一九七三／三／二、三、四，〈美、日第一回合的經濟戰〉，《華僑日報》

國際政治各論 日本之十

『在上述一連串的鉅大變化中（註：一九二五年至一九七五年間中國的變化），當然有其內在因素。但若把帝國主義的因素，尤其是若把日本帝國主義，對我們作瘋狂侵略的因素置之不論便對許多問題，無法加以解釋。』

『世界上任何一個國家、任何一個政府，在建國之初，面對著這樣一個如狼似虎的近鄰，一開始便以滅亡他國為其基本國策；所謂外交，都是配合其滅亡的步驟而活動。而能按步就班，實現自己的建國計畫的幾乎是不可能之事。

『所以談中國五十年的變化，不先把此一魔力（註：日本的侵略行為）放在念頭的上位，便是中國人的無恥與無知。』

——一九七五／六／五，〈五十年來的中國〉，《華僑日報》

國際政治各論　日本之十一

『我的看法，中共可以無求於日本，而日本畢竟有求於中國。我反對毛澤東的史達林體制，嘆息台北和北京都受了日本人的欺騙，所以贊成中共對日本採取強硬政策。我認為不應因反對共黨而放鬆了民族的共同敵人。』

——一九七五／九／三十、十／一，〈日本三木首相的外交謀略〉，《華僑日報》

國際政治各論 日本之十二

『日本的民族性是徹底堅持一種態度，以追求自己當下的利益。而不肯對未來、對相關者，擔負一點責任的民族特性。

『自豐臣秀吉一直到第二次世界大戰結束，日本是徹底堅持以強橫的態度，追求他們當下的利益；絕不反省、絕不反顧、決不對相關國家與問題，有絲毫責任感。

『第二次大戰，日本終於無條件投降。日本上述的民族性，以另外形態出現，即是以圓滑、投機、轉嫁責任，來謀取他們當下的利益。置關係國家的利害於不顧，置關係問題的利害於不顧。』

——一九七七／十／二十五，〈從劫機事件看日本的民族性〉，《華僑日報》

國際政治各論 日本之十三

『我在這裡不能不沉痛地指出日本與越共勾結的情形。越共把難民推出海時，實際對每批難民，指出了一個漂流的方向，日本到現在為止，只收容了七名。西方許多國家因難民問題而停止對越共的援助，只有日本的援助還在繼續。這若說越共與日本沒有勾結，是無法加以解釋的。』

——一九七九／七／二十二，〈難民、越共、日本！〉，《華僑日報》

國際政治各論 日本之十四

『日本的兩面手法，又一次證明他不是美國在遠東可以共安危的夥伴。這一點我曾不斷指出過，在國際事務中，日本要占盡便宜，決不會成為任何國家共安危的夥伴。這是他們的民族性』

——一九八一／六／二十八，〈大局為重〉，《華僑日報》

拾壹之二之四、中東

國際政治各論 中東之一

『一切生物，都有繼續生存的權利。猶太這一優秀民族，當然更有繼續生存的權利。

『以色列自成立以來，在人口、資源及國土不可能成為阿拉伯世界的威脅。遺下的巴勒斯坦人的問題，也並不是不能在人道上加以解決的問題。

『以色列的和平共存，決無損於他們（註：埃及等阿拉伯國家）的毫末。但它們的政治野心家，尤其是埃及的拉賽，為了滿足個人充當阿拉伯世界領袖的野心，大力挑起以色列的仇恨，號召非將以色列加以消滅不可。一九六七年由拉賽所發動的六日戰爭，阿拉伯諸國是一敗塗地；但他們除了損失軍隊、武器及少數土地外，並沒有影響到阿拉伯國家的生存。假定六日戰爭的大勝利，是在阿拉伯國家手上，則該有多少猶太人被屠殺，而以色列國要重蹈五世紀前的悲運。』

——一九七二／八／八、九，〈中東問題與聯合國〉，《華僑日報》

國際政治各論 中東之二

『阿拉伯野心家與以色列人，有一個最顯明的分界線。以色列人求生的意志堅強；但他們求生的主要手段是建設，再建設，所以他們準備戰爭，但並不要製造戰爭。阿拉伯的野心家們，只希望旁人供應他們的物資，以作為滿足他們野心的資本；對國家的建設並沒有真正興趣。』

——一九七三／十／十七，〈蘇聯的毒計——略論中東戰爭〉，《華僑日報》

國際政治各論 中東之三

『以色列在此次生死邊緣的戰爭中更深刻體驗到，離開美國的援助，便不可能繼續生存；所以由美國政策轉變而來的壓力，只有忍氣吞聲的接受。以色列新任總理拉賓六月十七日在耶路撒冷中明說：「我們必須承認此現實，並且準備接受此現實。」這反映出了以色列人的悲壯心情。』

——一九七四／六／二十五，〈中東行使轉變的前因後果〉，《華僑日報》

國際政治各論 中東之四

『沒有和平的保障，而要以色列完退出戈蘭高地，等於把一個危巖，高壓在以色列的頭上。沒有和平的保障，而讓巴游在約旦河西岸及拉撒地帶建立一個獨立國政權，等於把一柄鋒利的彎刀指向以色列的腰部及腹部。』

——一九七四／十一／十三，〈在中東政治魔術師的陰影之下〉，《華僑日報》

拾壹之二之五、越南

國際政治各論　越南之一

『越南此次所殘虐的華僑，正如日本某大報的社論中所說：「不僅是南部的華僑，而是在南越戰爭中，儘力於河內政權，在礦山、工廠勞動的北部華僑，也包括在內。」

『中共為此事向越南所採的任何報復行動，包括戰爭在內的報復行動，站在儒家思想的立場，認為都是正義的、都是應當的。』

——一九七八／六／七，〈不僅是「葛伯仇餉」故事的重演〉，《華僑日報》

國際政治各論 越南之二

『在世界史上，處於中國這種大的國周邊的少數民族，而能得到中國皇朝所提供的待遇，這是在任何其他民族中所找不到的。歷史上有被其他大國所消滅掉的民族，決沒有被中國消滅的民族。同化是進步而不是消滅。

『從世界史的比較上看，從中國對外夷（少數民族）的基本原則上看，中國絕無負於任何少數民族，更無負於越南的。』

——一九七八／七／二十五，〈只有「國交主義」，沒有「國際主義」〉，《華僑日報》

國際政治各論 越南之三

『現當中共於十六日正式宣布從越撤軍完成之際，對此次懲罰戰役，試作一回顧。

『只要了解這次戰爭的國際背景，遠較中、印戰爭時更為複雜；只要理解這次戰爭的戰場，遠較中、印戰爭的戰場更為艱難；只要了解這次戰爭的意義，也遠較中、印戰爭更為深遠；便可以承認，此次懲罰之戰，實已收到了泱泱大國之風的勝利。」

『我站在民族大義的立場，讚嘆此一勝利。』

——一九七九／三／二十，〈中越之戰的回顧〉，《華僑日報》

拾貳、台灣

台灣之一

『站在國家的立場而言，國民黨只是國家內的一個黨。黨的主義，總是國家人民的工具，而國家人民不是黨和主義的工具。站在國民黨的立場而言，則應該以其自知之明、及責任之感，一面努力改造，以求自盡其責；一面應該衷心希望國家能產生比自己更好的黨，以求共盡其責。』

——一九五〇／八／十六，〈黨與黨化〉，《民主評論》二卷四期

台灣之二

『「救國救民」，是要一國之民，皆知其自己有救國之資格、有救國之責任，因而發揮其救國自救之力量。國民與國家，是直接的關係，政黨在國民中只是一示範者、誘導者；並非如歐洲中世紀之教會，以為信徒要到上帝面前，非經過教會的許可不可。國民可通過國民黨而愛國、救國，亦可不通過國民黨而愛國、救國；因為國民不能不屬於國家，但他可以不屬於國民黨。政黨的價值要由國民判定，國民的價值並非由政黨判定。』

——一九五二／十一／一，〈一個錯覺〉，《民主評論》三卷二十二期

台灣之三

『但我們不是為反共而反共，而是要在文化、社會、政治的反省中求出共產黨成功的原因，並為苦難的中國找出一條真正的出路。』

——一九五六／四／十六，〈沉痛的追念〉，《民主評論》七卷八期

台灣之四

『看到我國（註：台灣）駐美大使董顯光于一九五六年十月廿一日，在華盛頓青年會的「國際十字路星期日晨餐會」上發表演說的結末說：

「……我們一旦回去（註：指回大陸）後，將置基督教於我們宗教活動的第一位。……主持國家政務的人們，將會大部分是基督教徒的。我們已注意到儒教、佛教、道教大半衰落了……在中國永不會恢復其從前重要性了。它們沒有什麼東西可以獻給人們……」

『宗教信仰，是屬於私人的事；縱使將來主持國家政務的都是基督徒，又誰有權力能把基督教「置」於宗教活動的第一位？

『使節對外講話，是要代表他自己的國家的。自有使節以來，公開講到文化問題時，只有介紹本國文化，讚揚駐在國的文化，以希望能在文化上彼此合作交流。

『蔣總統是基督徒，但當他以國家元首的地位和外國友人談到文化問題時，他會忍心說出「我們自己的文化已經完蛋了，因為它毫無貢獻」的話嗎？』

——一九五八／一／二十，〈作為一個中國人的感慨〉，《祖國周刊》二十一卷四期

台灣之五

『在世界大同未真正實現以前，所有人類的活動，依然是以國家為立足點。縱使我們不願當中國人，人家還是要把我們當作中國人而加以歧視、加以限制。分明是一個中國人，而在精神上不願意當一個中國人，這才是人生中真正的卑賤、恥辱！』

——一九五九／六，〈主宰自己的命運〉，《東風》

台灣之六

『就政治壓迫這一點來說，則專制甚於封建，而極權又甚於專制。

『例如政治的領導地位問題，在專制之下某人做了皇帝，他的兒子是太子，可以接著做皇帝，這是為大家所公認，不必另外多費手腳；因而社會也少受池魚之殃的。極權政治，是以一個獨裁者為中心的政治。即使是在極權國家裡，某人可以根據法理取得政治元首的地位，但他的法理並不規定他應當獨裁，所以為了達到個人獨裁的目的，只有把國家自然形成出來的各種社會力量，一概打倒，而代替以自己所豢養的走狗型的奴才。社會在此一過程中，便會剝掉幾層皮，抽掉幾條筋，使社會完全變成一種在奴才統治下的、下流的社會。這是在專制政治中所能避免的。

『一個人當了父親的奴才未必一定就肯當兒子的奴才，除了極少數的無恥到了極點的人以外。假使在極權政治之下，而仍要「傳子」「託孤」的話，勢必又要在自己所養的奴才中幹掉一大批，再為兒子養出些更幼稚的哈巴狗型的奴才，方能作用。於是社會在剝了皮之後再剝皮、抽了筋之後再抽筋，這還成何世界？』

——一九五九／一／二十三，〈劉備白帝城託孤〉，《新聞天地》五七一期

台灣之七

『日本人絕沒有像臺灣今日，以美國籍的中國人的身分，在社會上大搖大擺，以作為獵取地位、佔領便宜的可恥現象；口裡激昂慷慨地「國家民族」，而實際則以千方百計，要把自己的子女變成美國人。我這十幾年以來，漸漸發現，在「有地位」的中國人中間，要使他們心安理得的當一個中國人，是比上天國還困難的一件大事。』

——一九六〇／九／十六，〈人的日本〉，《民主評論》十一卷十八期

台灣之八

『我十多年來，發現落後地區的政黨人士，依然多是中國舊社會裡的土豪、劣紳；而所謂的民意代表，實際多是土豪、劣紳的如虎添翼。』

——一九六三／三／十，〈南韓今後的道路〉，《華僑日報》

台灣之九

『這裡的主要問題，是自己的教育，根本無人想向好的方向去發展的問題。尤其大學教育，一天一天地走向「野雞大學」的路。』

——一九六四／十二／二十八，〈回答我的一位學生的信並附記〉，《學術周刊》十三期

台灣之十

『收養一批下流的歐僕，以研究的姿態出現，談「中國只有材料，美國才有方法」，把中國歷史，歪曲為美國政治目的適宜於運用的工具。

『這樣一來，中國的歷史完了，中國的民族意識完了，中華民族的命運，也便任人擺在刀俎之上了。

『十多年來，在政治上，我只談民主，而不談民族，是以為我們的民族經過八年抗戰，在國際關係中不會發生問題。

『但目前的事實證明，我們最大的危機，是來自由毀滅我們的歷史以達到分裂我們民族、奴役我們民族的大陰謀。』

——一九六五／四／五，〈歷史與民族〉，《華僑日報》

台灣之十一

『中山先生因為幼年的環境關係，成為一位基督教徒。但他絕不曾標榜基督教。

『他了解基督教在東方的活動，有意無意的是與西方殖民主義結合在一起；所以在東方所發生的作用，並不同於在西方發生的作用。

『假定中山先生把個人的信仰擴張於政治活動之上，便會和民族主義相衝突，加深中國的半殖民地化。他對於基督教的自我制約，也正來自他與國家民族為一體的偉大人格。』

——一九六五／十二／十一，〈思想於人格〉，《徵信新聞報》

台灣之十二

『所謂西方人的國家政治意識，即是西方人為了自己國家的利益所實行過的殖民主義，及在殖民主義影響之下所形成的人種優越感的意識。

『殖民主義的意識，還存在於少數美國人和日本人之間，也是事實。

『而在今日臺灣的上層社會中，確實有不少的人，假借「文化」之名，以迎合殖民意識的方式，圖謀獲取個人的利益，也是事實。

『臺灣最大的陰影，是由此而來的。』

——一九六九／一，〈西方文化沒有陰影〉，《大學雜誌》十三期

台灣之十三

『我是反共的，尤其是毛澤東文化大革命這一套的。

『但反共（註：一九六九年中、俄的珍寶島戰役）並不能反對我們的疆土；並不能允許外族來屠殺我們的人民、掠奪我們的資源。

『反對毛澤東的暴政，但決不能以蘇聯的暴政來代替毛澤東的暴政。我更不相信會有人在較契丹要毒辣千萬倍的蘇聯下、而來做石敬瑭。』

——一九六九／十一／十二、十三，〈中、蘇談判問題索引〉，《華僑日報》

台灣之十四

『美國教會大學聯合董事會，在幾年以前，對設在台中的東海大學提出了一分調查報告，說該校是由美國、中國、台灣三個不同的民族文化所共同設立的。

『這種意見，是台獨份子主張「台灣不是中國領土的一部份」的根據。

『但以中國人而否定自己是中國人。以中國的領土而否定其為中國的領土，這便是作為一個中國人的我的心態所不能忍受，要公開提出來，要求你們（台獨）的反省。』

——一九七一／五／十五，〈中國人對於國家問題的心態〉，《人物與思想》五十期

台灣之十五

『我國歷史中，有許多壯烈光榮，可供黃帝子孫，永遠紀念的偉大日子；但衡量全局、比較內涵，沒有任何一個紀念日能與七七這一天，同其份位。

『所以能發動七七抗戰的，不僅是全體人民求生存的迫切要求，而且是在幾千年文化薰陶之下，使全體人民得到了由道義所支持、所充實的「雖千萬人吾往矣」的精神、意氣。大家寧願赴湯蹈火、損命毀家而無所尤怨，這主要是來自中國文化中「殺身成仁」、「捨生取義」的尊嚴的人格和遠大的志氣。

『有了這種人格和志氣，我們便可抗拒一切強暴、克服一切困難，很光榮地、永恆地生存下去。失掉這種人格和志氣，我們便會墮落像奴隸、犬馬的領域，最後必從歷史中消失掉。

『紀念七七，乃是紀念這種意義、乃是表示我們還在傳承這種意義，以證明我們確確實實地是一個堂堂正正的中國人，上無愧於祖先、下無愧於後代。且以自尊、自信之念，面對著所有的圓顱方趾的人類。

『有人以為繼續紀念七七，會引起東鄰的誤會，妨礙到我們的生存。據朋友告訴我，「知日派」便是這種想法，而知日派在今日的勢力是非常浩大的。

『人類與其他動物種的區別之一，即是人有記憶力，而其他動物或者沒有，或者是遠較人類為低。日本屠殺了千萬以上的中國人、姦淫了百萬以上的中國婦女、摧毀劫奪了天文數字的中國財產。這種事如能被中國人忘記，便只能證明中國人是最低等的動物。

『假使有這樣的知日派，還能有面目地站在自己同胞的面前嗎？』

——一九七三／七，〈中國人可以不紀念七七嗎？〉，《中華雜誌》十一卷七期

台灣之十六

『在中國長期專制中，傳太子是大經，傳皇后是變局。蔣先生（註：蔣中正）對於蔣經國，出於長期培養之後，得之於從容揖讓之間，兩相比較，我覺得蔣先生又比毛澤東偉大得太多了。』

——一九七二／六／五，〈毛澤東與斯大林的同異之間〉，《明報》、《集思錄》

台灣之十七

『台灣方面的進步乃在有一自由的社會，讓人民能為自己的生存慾望，把能力發揮出來。大陸則把人民乃至幹部的能力完全細死了，互信與自信，完全消失了，這是根本危機之所在。但台灣政治上的進步，仍是表演性的。無真正的民族觀念，便不可能有志氣、有志節。無真正的貪汙觀念，在香港認為貪汙的，台灣視為家常便飯。無真正的法律觀念，法律經常在有權有錢者玩弄之中，國家尊嚴、政府尊嚴，根本建立不起來。無真正的權責觀念，大家只在「陽動」而未曾實幹。一言以蔽之，政治社會上的上層人物大體腐爛了，弟認為這是真正問題之所在。「活菩薩也救不得」。』

——一九七七／四／十二，《徐復觀致胡秋原書信》第六封

台灣之十八

『自一九七〇年以來，臺灣在經濟上有了畸形的發展，在文化上也出現了轉型的蛻化。所謂「畸形」是指對外國資本家，尤其是對日本資本家的開門揖盜而言。所謂「轉形」，是指在中華文化復興的虛偽口號下、瘋狂的把中國人的心靈徹底出賣為外國人的心靈而言。

『對此一趨向的反抗表現為若干年輕人所提倡的「鄉土文學」，要使文學在自己土生、土長，血肉相連的鄉土上生根，由此以充實民族文學、國民文學的內容，不准自己的靈魂被人出賣。

『鄉土不是抽象的，上面住著辛勤耕種、辛勤工作的父兄、子弟。這些父、兄、子弟年來的生活，在絕對上可能提高了，但在相對上則是不斷的下降，此即所謂貧窮的距離越來越大。於是鄉土文學，必然也會成為反映這些生活不斷下降的父、兄、子弟的寫實文學。他們有時可望見顯耀豪富們的顏色，幻成水中月，鏡中花的文學，斥之為買賣文學、洋奴文學。這種話一經說穿，文學的市場可能發生變化，已成名或已掛名的作家們，心理上可能發生「門前冷落車馬稀」的恐懼。有如當大家注意到特出的洪通繪畫時，許多「大畫家」不覺醋性大發，說誰個提洪通的畫，誰個便是想搞「臺獨」一樣，勢必要藉政治力量來保持自己的市場。這可用「不談人性，何有文學」，及「狼來了」兩篇文章做代表。

『所謂「狼」是指這些年輕人所寫的是工、農、兵文學，是毛澤東所說的文學，這種文學是「狼」，是「共匪」。寫此文的先生，也感到這是在給這些年輕人帶帽子，但他認為自己已給人戴上不少的帽子，則現在是還他們一頂，也無傷大雅。不過這裡有兩個問題：一是給年輕人所帶的恐怕不是普通的帽子，而可能是武俠片中的血滴子。血滴子一拋到頭上，便會人頭落地。

『這類的做法只會增加外省人與本省人的界線，增加許多年長的與年輕人的隔閡，其後果是不堪設想的。』

——一九七七／九／二十一、二十二，〈從「瞎遊」向「瞇遊」〉，《華僑日報》

台灣之十九

『臺灣的民族運動，可分為兩個階段。由割棄臺灣所開始的前仆後繼、垂二十年之久的武力抗拒階段，這是第一階段，這是順承清廷統治餘勢所產生的民族運動。葉先生大著中所敘述的則為第二階段。第二階段的特徵，實以祖國歷史文化為其動力，運用各種合法半合法的彈性方式，使日人的應付，倍感困難。假定第一階段的武力反抗，被日本人完全撲滅後，沒有第二階段方式的出現，則臺灣同胞的身體與靈魂，將完全被日本帝國主義所征服，光復之初，豈能出現有如遊子歸宗的感情，及由這種感情而來的國家民族的自然團結。』

——一九七八／十二／十一〈悼念葉榮鐘先生〉，《中國時報》

台灣之二十

『四百萬字的回憶錄都被沒收了。但他（註：雷震）在嚴厲抑壓的情形下，在已經為日無多的餘年中，終於寫出了一部簡單地回憶錄，並終於能在香港印出，這表現了他爭歷史是非的堅強意志。

『可以斷言，中國不論走那一條路，必然要通過民主這一關，否則都是死路。而現在的人民、將來的史學家，在評斷政治人物的是非功罪時，必然以這些人對民主的態度為最基本的準的；玩弄假民主的，其罪惡必然與公開反民主的人相等。綜合我真正認識雷先生以後三十年間，他的情形，正是中國知識分子為民主而奮鬥的大標誌。我含淚寫這篇雜亂的悼念文，要為他的歷史地位作證。』

——一九七九／三／三——十五，〈「死而後幾」的民主鬥士〉，《華僑日報》

台灣之二十一

『對越南政權何以被消滅的解釋，南海血書便很明顯地把責任歸在不予政府合作的、要求民主自由的社會人士。

『在東方專制傳統之下，國家一切力量都集結在統治者手上。要求民主自由的社會人士，除了口說、筆寫的言論外，再一無所有。言論的力量，在和軍、警、法院等力量比較起來，不過是九牛的一毛。而在言論的分量上，統治者與社會人士相較，大概不只萬與一的比率。在份量上佔極少數的言論所以會發生影響，必是因為指出了統治者在政治行為中的錯誤。

『假定統治者利用批評言論來改正錯誤，則批評者的影響，可轉化為統治者的力量。假定統治者對批評的言論橫加壓制，並說許多離了譜的假話以資彌縫，於是批評者進一步成為反對者。再加以社會上完全失去對統治者言論的信用，使反對者的言論，成為社會上唯一的言論，此時才會發生催命符的作用。』

——一九七九／七／三十一，〈獵鹿者與南海血書〉，《華僑日報》

台灣之二十二

『我信服中山先生原因之一，他是一個基督教徒，但在他的革命生涯中，從來沒有賣弄過基督教，從來沒有以基督教為達到某種政治目的手段。他接受了西方的政治社會思想，卻以中國的道統為他思想的根幹。此之謂有品格，此之謂有識量。』

——一九八一／十／二十八，〈「偷運聖經」的意義是什麼？〉，《華僑日報》

拾參、中國大陸

中國大陸之一

『毛思想的構造，有其「共性」，更有其「特性」。

『譬如說，他是社會主義的思想；他是一個馬列主義者；他主張一切為人民；他反對傳統的知識份子高踞於勞動人民之上；他反對黨內出現特權階級；他要提高農民的生活，慢慢使農村生活與都市生活看齊；他要高度發揮勤儉精神，以群眾路線，大規模從事國家建設；他對外抗拒蘇聯，要聯合第三世界，爭取民族的解放，及勞動人民的解放；這都是他思想中的共性。

『即使不是共產黨員，沒有參加過他們的革命，我相信也有不少人在各種不同程度上，贊成上面的思想。

『毛思想之所以必須突出，必須保護，是來自他思想中的特性，是來自他思想中的特性壓倒了他思想中的共性。

『然則他思想中的特性是甚麼呢？我想用三點加以構括。一是「反潮流」；二是無限鬪爭；三是把事與人都只作為他個人的手段而不當作目的。

『他死了，擔當毛思想的槓桿消失了，這便可能使他思想中的特性，慢慢地緩和乃至改變。

『於是毛思想中的共性，會突破十多年來所受的特性的禁閉，重新發生領導作用。此時的中國大陸，可能出現某型態的安定、團結，以新的力量、新的方式，推動前進。』

——一九六〇／九／十四，〈毛澤東死後的「毛思想」問題〉，《華僑日報》

中國大陸之二

『假定和孫中山先生一樣把共產主義，只當作一般的社會主義來看待，則中國的共產黨可能會受到中國文化的影響。

『第一、中國文化是人文主義的性格；西方不少的學者，也常把馬恩主義，列入人文主義的系譜。

『第二、中國的儒、佛、道，都主張人類徹底地平等；而平等的觀念，正是成為社會主義所以興起的主要動力。

『第三、儒、道兩家，都認定政治是為了人民，這便反對了政治上一切的特權階級；而反對特權階級，也應以社會主義最為徹底。

『第四、孔子的「不患寡，而患不均」，及孟子的「井田」思想，發展為《禮運・大同篇》的「貨惡其棄於地也，不必藏於己；力惡其不出於身也，不必為己」的明確形態，正可與社會主義之經濟觀念相同。

『第五、由孔、孟發展至宋明理學之「存天理（存共同之理），去人慾（去個人的私慾）」，正可支持社會主義重於個人的願望。

『此外，凡中國文化中的道德、藝術、文學中的精神，幾無不以犧牲個人、同情群體，而始成其偉大。

『中國文化與馬恩主義，有決不能相容的地方；即是中國文化乃立足於人性之上，而馬恩主義則係立足於階級之上。

『若共產主義受到中國文化的影響，則必然是階級性受到中國文化中所發掘出的人性的影響，因而注入了博愛、自由的精神。在這種影響之下，共產主義將被修正為真正地三民主義，或者稱之為民主的社會主義。』

——一九六六／七／三十一，〈毛澤東與中國傳統文化〉，《華僑日報》

中國大陸之三

『中國全般局勢，必由大陸自身解大陸之問題，絕不能由海外之力量解決問題。』

——一九六七／一／一，《徐復觀致唐君毅佚書六十六封》，No. 60

中國大陸之四

『我是一個中國人，一切問題，自然先從中國想起。中共統治著大陸，統治著七億同胞，這是擺在眼前的事實。對於中共，有完全擁護的中國人，有完全反對的中國人，有半擁護半反對的中國人。

『但只要是中國人，應當有一個共同的認定，即是維護自己國家領土主權的完整，在這種地方，不應當有兩種看法。』

——一九七〇／一／三，〈一九七三年的待望〉，《華僑日報》

中國大陸之五

『我也希望中共能增加對自己理性的信心，而不要對人類文化，視為禁忌物，不斷要把馬列主義加以符咒化。要從中華民族艱苦奮鬥的歷史中，肯定中國文化的價值，開放對中國文化無須附會的客觀而獨立的研究；這樣，中國人才能在精神上站起來。

『中國人民的翻身必然是中華民族的翻身，中華民族的翻身，必然是中華民族文化的翻身。』

——一九七〇／一／三，〈一九七三年的待望〉，《華僑日報》

中國大陸之六

『中共的外交資本有二：一是由中國文化所孕育陶融為一體的七億多人民，另一是他們這些年來苦幹實幹的精神和氣力。』

——一九七一／十／二十，〈三角外交角逐的新形勢〉，《華僑日報》

中國大陸之七

『毛澤東，是歷史上的梟雄人物；但他把握到「群眾路線」和「組織技巧」這兩個為過去梟雄所不曾把握到的法寶，所以他做了過去梟雄所做不到的許多事情。』

——一九七二／五／二十二，〈深有感於毛澤東之言〉，《華僑日報》

中國大陸之八

『斯大林對付黨內的可疑份子，走的是血腥的路。毛澤東則打出「治病救人」的口號，直接亮刀子的並不多。這說明毛在不知不覺中，受了歷史儒家的「教化主義」的影響。這是毛比斯大林偉大的地方。』

——一九七二／六／五，〈毛澤東與斯大林的同異之見〉，《明報》、《集思錄》

中國大陸之九

『我雖然反對共產黨，但對資深創業的中共黨員，我相信他們在民族、國家的大節上，有可以信賴的人格。正因為如此，中共才能從毛澤東向蘇俄的一面倒，轉反過來對蘇聯作堅強強地反抗。』

——一九七二／七／三十一，〈論林彪之死〉，《華僑日報》

中國大陸之十

『我對毛澤東所發動的知識分子的改造運動，逼使知識分子承認體力勞動的價值，揭穿知識分子的虛偽面目與地位，逼使他們向工農學習，與貧苦大眾過同樣的生活，認為是自科舉制度實行以來對知識份子的總報應。

『中共的罪過，在於把學問知識的本身和墮落的知識份子，等同起來。

『而在文化大革命中，以各種殘暴手段剝奪知識分子的人格，使稍有志節之士受到最大的打擊，發生反淘汰的作用。』

——一九七五／六／五，〈五十年來的中國〉，《華僑日報》

中國大陸之十一

『和周先生（註：周恩來）見面最多的當然是一九四三年。和他談問題，他總是通情達理，委曲盡致，絕不侵犯到個人的基本立場。』

——一九七六／一／十，〈悼念周恩來先生〉，《華僑日報》

中國大陸之十二

『周（註：周恩來）逝世後，除了蘇聯的一夥（包括越共、日共）外，國內海外及國際上，對周的一副深厚感情，不僅是由才能、功業所能換來的；而是從他的身上，大家不知不覺的，在烈風雷雨中，還能嗅到「人的意味」；這是政治人物，尤其是自命為革命人物中，所最缺乏的東西；這是人與人，可以相通相感的基點。』

——一九七六／一／十四，〈周恩來逝世以後〉，《華僑日報》

中國大陸之十三

『周恩來最大的吸引力，就是你說他假的也是好的，他在人與人之間有真正的人情味。

『以周恩來的地位，他那種才氣，能使人感到一種真正的人情味，這是他最大的吸引力。』

——一九七六／二，〈周恩來逝世座談會〉，《明報月刊》十二卷二期

中國大陸之十四

『這麼崇高地位的人（註：周恩來），和他們那麼親切，對他不同的意見採取涵容說服的態度，很親切，並且很坦率，國內某些做得不夠的地方，也給他們透露，講出來。這幾位年輕朋友，尤其裡面有兩位對共產黨的思想很反感的，但對周恩來這個人卻佩服的五體投地。』

——一九七六／二，〈周恩來逝世座談會〉，《明報月刊》十二卷二期

中國大陸之十五

『我非常後悔曾經寫文章罵鄧小平，老實說，我現在對他真是佩服得不得了，就是他那幾句話：「為什麼要天天說階級鬥爭」、「文化大革命要過十年才能評價」。』

——一九七六／五，〈從天安門事件看中國問題〉，《明報月刊》十一卷五期

中國大陸之十六

『毛路線，也並不是沒有他合理的地方。例如他要泯除勞心、勞力的分別，要知識份子向農、工學習，要用勞動來改造舊社會的寄生蟲，要他們的幹部下放到工廠及農田中去勞動，這在千年科舉制度流毒下，在「萬般皆下品，唯有讀書高」的錯誤觀念之下，在統治階層與被統治階層長期處於「雲泥分隔」的畸型狀態之下；在假定知識分子之名，處處流特權意識之毒的情形之下，我認為他做只是「矯往過正」，不能說完全不合理。』

——一九七六／六／二，〈孔子在中國的命運〉，《明報月刊》十一卷一期

中國大陸之十七

『江青們的批孔運動，實際是滅孔的運動，實際是滅絕中國文化、歷史的運動。龔自珍已經指出過：「欲亡人之國者，必先亡其歷史。」中國的歷史，在江青們手上亡了，於是八億中國人都成為無根的人，都成為失掉了對自己民族記憶的人；江青們便可放手，率領三千多萬黨員，在列寧、史達林的旗幟掩覆之下，成為蘇聯的贅婿、義子。』

——一九七六／十／六，〈蘇聯當前的政治戰略〉，《華僑日報》

中國大陸之十八

『我與毛，長談過五次以上，並曾誠懇地向他請教過。例如我問「應當怎樣讀歷史」？他說「中國史應當特別留心興、亡之際，此時容易看出問題。太平時代反不容易看出。西洋史應特別留心法國大革命」。他這段話，實際給了我很大的影響。

『他在談話中給人的印象都是好的。』

——一九七六／十二／二十，〈中共問題斷想〉，《華僑日報》

中國大陸之十九

『有的朋友問我：「鄧小平復出後，首先應做些什麼？」這是我答覆不了的問題。但我在四人幫剛被捕後所寫的文章中，認為中共當務之急，應首先恢復它們黨內的民主。』

——一九七七／八／三—十，〈瞎遊雜記之七〉，《華僑日報》

中國大陸之二十

『鄧小平復出後，當然會以全力推動四個現代化。四個現代化所遭遇的問題很多，但是根本的問題是幹部經過反覆的鬪爭，把一切都看穿了，自然形成苟且求全的心理；人民的生存生活，沒有客觀的保障，不能為自己作較長遠的打算，偶然作此種打算，便被指為資本主義復活；所以幹部和人民，都因自主性的完全喪失，而喪失了積極主動的精神。

『所以目前當務之急，應建立人民生存生活的客觀保障。』

——一九七七／八／三—十，〈瞎遊雜記之七〉，《華僑日報》

中國大陸之二十一

『為解釋此一問題，不能不追到馬克斯思想的本身上去。馬克思提出「自由王國」的共產世界，我同樣地嚮往。但他強調鬥爭的惟物史觀，以鬥爭為歷史前進的唯一手段，因而共產黨不能不是「鬥爭的黨」，卻把歷史前進的方向，完全弄顛倒了。

『階級鬥爭、及個人與個人間的鬥爭，這是自有人類以來的事實。許多動物，也是靠鬥爭解決問題。鬥爭是原始的手段，人類的進步，不是表現在以鬥爭為解決問題之上，而是表現在以和平解決問題之上。

『以和平解決問題，有時感到不夠甚至感到是虛偽，這只說明人類的進步還不夠，還有待於更大的努力。怎麼可以把人類進步的方向顛倒過來呢？

『假定說鬥爭一定是階級對階級的，為甚麼奴隸主義集團內、封建統治集團內、資本主義範圍內不斷出現鬥爭？』

——一九七八／一／十，〈柬、越戰爭中所蘊含的複雜問題〉，《華僑日報》

中國大陸之二十二

『從毛思想所表現的形式看，他是馬列主義的進一步簡單化。

『毛的思想簡單化的方式之一，是把馬列思想中的「二分法」，簡化到兒童心理狀態的兩極化程度。

『簡單化的方式之二，是與上述的「兩極化」連在一起，把一切的人與事，畫成兩個水火不相容的圈子，有如無產階級對資產階級、唯物論對唯心論、左對右、馬列主義對修正主義、社會主義對資本主義等圈子。把自己及自己所做的事，安放在絕對善的圈子裡，把自己所不喜歡的人與事，安放在絕對惡的圈子裡。』

——一九七八／七／四、十七，〈試談思想解放〉，《華僑日報》

中國大陸之二十三

『假定毛（註：毛澤東）講的是真話，則民主集中制中的民主，也和傳統政治思想中的「愛民」一樣，這是「恩賜性」的愛民，這是有待聖君、賢相出來才會實現的愛民。政治中不能期待聖君、賢相，乃古今所同。

『近代政治的最大成就，並不在強調了民主的觀念，這種觀念是早已存在的；而是在由這種觀念建立了誰也不能不民主的制度。不在提出了不可濫捕濫殺的人道主義，而在由這種主義建立了誰也不能濫捕濫殺的法治。』

——一九七八／七／二十一，〈評毛澤東「在拓大的中央工作會議上的講話」〉，《華僑日報》

中國大陸之二十四

『鄧小平面對著兩大問題，找不出解決的方法。

『一是在法西斯專制下所引起的大批的人格破產的問題。此問題不解決，便不能有真正地對人的信賴和對事的責任，這不是僅靠物質刺激所能恢復的。

『另一是對毛思想的處理問題。十多年來大敗壞的根源，分明是出在毛澤東身上。但不僅誰也不敢摸毛澤東這隻老虎的屁股，以致大是大非不明。並且還有許多人拿著「毛思想」以抵制實事求是的路線。』

——一九七八／七／二十一，〈評毛澤東「在擴大的中央工作會議上的講話」〉，《華僑日報》

中國大陸之二十五

『你認為中共目前思想空虛，急於需要一種思想來填補，在這一點上，我和你的看法稍有不同。

『「實事求是」四個字，對解決問題，已有很大的概括性、時效性、開創性；在思想大氾濫、大混淆之餘，活用二千年前漢河間獻王的四個字有破偽顯真，一面澄清，一面推進的意義。

『目前不在缺乏什麼偉大思想的架構，而在如何滌蕩你所說的僵化了的馬、列、毛教條。』

——一九七八／十／十、二十、二十一，〈國族無窮願無極、江山遼闊立多時〉，《華僑日報》

中國大陸之二十六

『我早從毛選五集中，清楚看出他從一九五三年開始，一步一步地走向法西斯專制的必然地歷程；四人幫的所作所為，不僅都是根據毛在文革中的各種指示，而且在毛選五集中都可得到解答。

『我和毛澤東雖然政治立場不同，但在我沒有了解反右、大躍進、文化大革命等一連貫事實的真相以前，對他的才略，一直保有一番自然地敬意，還時常行之夢寐。

『重要的是：毛思想是形成四人幫的「禍根」。禍根不去，四人幫之禍，會隨時乘機復發。』

——一九七八／十一／二十三，〈虛、靈、不昧！〉，《華僑日報》

中國大陸之二十七

『《人民日報》廿一日刊出的〈人民萬歲〉的長文，承認「民主權利經常受到這樣或那樣的侵犯，存在著得而復失的嚴重危機。」

『承認「人民群眾的政治覺悟和判斷是非的能力是很高的。」「解決人民內部的一切問題，只能用民主的方法，絕不能用專政的方法。」並且更進一步指出：「人民的民主權利，靠人民用自己的鬥爭去爭取和保衛，而不能靠什麼神仙皇帝來恩賜。」

『人民是主人，而我們自己（指共產幹部）則是人民的公僕。

『「為了保障人民的民主權力，必須健全社會主義的法治……使民主得到法律和制度的保障。」「應當指出，民主是法治的前提和基礎，法治是民主成果的總結和保障。首先要有民主，使民主成為事實，然後才能真正確立革命的法治，用法治去紀錄和承認民主的事實。」

『上面這類的話，說得深切著名。他們在創鉅痛深之餘，不應視為虛偽。

『長文中有突破了馬列主義的非常有意義的一句話。即是他們所說的：「必須以資本主義文化所獲得的一切經驗為基礎。」

『在〈共產黨宣言〉中宣稱「共產主義者的目的，只有由暴力顛覆現存整個社會的秩序，才可以完成。」。這是最大地狂妄，最大的荒謬。

『長文中既已提出了這一點，便應當把它括大到整個地歷史觀念中去，以救活文化的僵局，挽回人類的大倒退。』

——一九七八／十二／二十六，〈誠論中共之變〉，《華僑日報》

中國大陸之二十八

『我對毛澤東政權的性格，早看出它是既專制、又專制的歷史的延續，但從未忍心説他們即是法西斯；北京大字報，卻乾脆指名毛政權的性格，是「封建法西斯專制」的性格。

『每看到許多左派文人，一開口便説是這個奴隸主，那個奴隸主時，心裡便想：「你們所處的新社會，才真正是奴隸社會」。可是在寫文章的時候，總是抑制住。北京大字報中，才正式喊出「我們不是歷史的主人，而是歷史的奴隸」。

『他們貼出的不僅是文字，而是他們的生命；他們所寫出的，是二十多年統治的結晶。』

——一九七九／一／九，〈四個現代化以外的問題之一〉，《華僑日報》

中國大陸之二十九

『思想立基於智識，智識來自客觀經驗世界。

『中共黨人的思想，是直接來自馬、恩、列、史的思想，而不是直接來自客觀經驗世界的。所以他們理論家的理論，猶如中世紀的僧侶樣，是純演繹性的理論，與客觀經驗世界有很大的距離。』

——一九七九／四、十七，〈試談思想解放〉，《華僑日論》

中國大陸之三十

『然則毛思想便一無是處嗎？

『我可以說，即使在一九五七年以後，他提出的目標，例如要打破官僚結構、要城鄉平等、要知識分子尊重體力勞動等都有他的理想性。尤其是「一切為人民」，這是自周公起，一直由儒、道、墨三家所共同守而不失的政治思想大傳統。

『因為他的「生產關係決定生產力」的錯誤認定，由此而採取極左的冒進路線，使他的目標，都給隨極左路線而來的殘酷黑暗所淹沒了。』

——一九七九／六／二十，〈大陸問題漫談之六〉，《華僑日報》

中國大陸之三十一

『假定中國經過了一九五七年以來這樣大的苦難，而沒有人對中共的領導發生懷疑、沒有人對社會主義發生懷疑，這只足證明我們民族已如路旁的一條不知痛癢的死狗，還有什麼希望？

『在工人中竟然有人對中共領導、對社會主義，敢於提出懷疑，並擠出自己工作的時間與生活費來寫大字報和刊物，這說明了我們民族的生命力，沒有在苦難中被完全扼死。』

——一九七九／六／二十六，〈大陸問題漫談之七〉，《華僑日報》

中國大陸之三十二

『共黨之所謂思想，與一般學術文化上的所謂的思想，在「強度」上有很大的距離。

『他們是根據自己的人生觀去認定世界、改變世界。其性格與狂熱的宗教信仰，沒什麼分別。』

——一九七九／七／十七，〈試談思想解放〉，《華僑日報》

中國大陸之三十三

『綜合毛的一生，可分為三階段。

『第一階段是他發揮卓越的組織能力，以與他的雄才大略相結合的階段。他把由蘇聯傳來的一套組織技術，賦予以適合舊社會舊傳統的外貌，使其得到最大的韌性，無孔不入，是所向無敵的武器。

『我在一九四三年，已堅確認定，他有奪取中國全面政權的能力。這對共黨而言，當然是大功；但對國家人民而言，是功是過，應由他取得政權後的作為而定。

『他的第二階段，是由一九五三年韓戰結束後，到五〇年末期的一步一步地走上路線錯誤、思想錯誤的階段。他的土改政策，雖然使用的手段太殘酷，但把土地及地方勢力，從豪紳仕地主手上轉到農民手上，在大方向上不應說是錯誤。以收購合作的方式解決資本家的問題，亦算運用得非常巧妙。但韓戰結束後，趾高氣揚，忽視客觀規律，認為生產關係可以決定生產力，引起五十年代末期的大災難，一直到現在，還難於收拾補、補救。

『由一九六六年到一九七六年他的死，這是他的第三階段。葉氏（註：葉劍英）講話的第二大段，陳述文革十年的駭人浩劫，即是毛為堅持自己的錯誤所犯下的罪惡地第三階段。

『組織加才略——錯誤——罪惡，這就概括了毛的一生。』

——一九七九／十／十，〈讀葉劍英講話的一些雜感之一〉，《華僑日報》

中國大陸之三十四

『在奪取政權中的黨員，和取得政權以後的黨員，必然地要發生本質上的變化。

『在奪取政權中的黨員，是冒險犯難的黨員，是有幾分理想性的黨員。

『取得政權以後的黨員，是在名利競爭中，取得初步勝利，有如科舉時代的秀才。考秀才的動機是個人的名利，八股文中說的任何道理，都是虛偽的。

『大陸上同為「人民」，但農民羨慕工人，一般人都羨慕黨員。羨慕黨員，便會使出渾身解數鑽營黨籍，於是，選擇提拔的，必多為頭尖、嘴滑，趨炎附勢之人。

『由這種人組成的龐大政治機器，對人民的集中性的壓迫，必遠過於貪官、汙吏、土豪、劣紳的分散性的壓迫。』

——一九七九／十一／六，〈讀葉劍英講話的一些雜感之三〉，《華僑日報》

中國大陸之三十五

『抗戰時期，我到過太行山，到過延安。我從現實見聞中反對中共的許多做法，但對中共幹部的刻苦、耐勞，犧牲、奮鬪的精神，卻由衷的欽佩。所以在文章中曾指出這一代的良心、血性之士，多在共產黨一方面。文革中，我曾不只一次的稱共黨的老幹部為「千錘百鍊」，為他們所受的打擊抱不平。

『文革後解放出來的幹部，固然有少數如我所預期，在反省中，正在探索國家的出路。但多數人卻要運用殘年的權勢來彌補牛棚中所受的摧殘，反而與四人幫餘孽結合起來，以安定團結之名，作藏垢分肥之實。這才是中共擾攘至今，不能安定團結的真正原因所在。』

——一九七九／十二／十一，〈中共還是安定團結？抑是藏垢分肥！〉，《華僑日論》

中國大陸之三十六

『過去官僚管轄的範圍，是有限公司；而中共官僚管轄的範圍，則是無限公司；無限到國家整體的經濟活動，人民的全部日常生活。

『新舊官僚主義更有一個共同之點，即是對國家、人民的問題不負責任，對自己私人的利益，則非常負責任。所以官僚與特權是一物的兩面。因為中共官僚之毒無所不到；於是特權的毒害，也就無所不到，從欺壓暴斂、化公為私，到浪費、走後門，使中共的天下，幾乎成了特權的天下。而他們的特權，又帶有濃厚的封建性質；「一家功成萬骨枯，一家特權萬人淚」。』

——一九八〇／二／一，〈八十年代的中國〉，《中報月刊》一卷一期

中國大陸之三十七

『工人的價值是工，農人的價值是農，知識分子的價值是知識。在現實社會生活中，有因工作的難易，效率的大小，即由供求關係而來的貴賤之分，絕無人格本身的貴賤之分。但在中共，農人要次於工人一等；而為了要工人承認知識分子，必須把知識分子也附庸到工人階級中去；真可說是天大的笑話。』

——一九八〇／二／一，〈八十年代的中國〉，《中報月刊》一卷一期

中國大陸之三十八

『今日大陸上最嚴重的問題有三，一是多數人，尤其是青年人、中年人，失掉了「作人的基本條件」，偷惰苟且，甚至無所不為。二是統治階層中，特權橫行，不顧國家的安危，不顧人民的死活。三是普遍地窮，普遍地落後，但一般人並沒有救窮救落後的志氣。

『這三大嚴重問題，都來自毛澤東「興無滅資」的最左路線。

『站在共黨立場「興無滅資」，似乎是所當然。但毛澤東顛倒了生產力對生產關係的重大意義，以「鬥爭為綱」，破壞了生產力乃至生產意志，這便成為唯心論的最左路線。』

——一九八〇／五／二十七，〈華國鋒何以還要「興無滅資」？〉，《華僑日報》

中國大陸之三十九

『不論傷痕文學及新寫實主義文學，他們徹頭徹尾都是政治的。人類良心，若不是受到特別壓迫和汙染，便自自然然地會集注在他們所遇到的嚴重問題之上。只有當政治不成為嚴重問題時，文藝才會轉向人生其他方面而脫離現實政治，這與中國現實上的距離還遠得很。

『藏垢納汙的安定團結，是醞釀更大分裂、醞釀更大動亂的自欺欺人的安定團結。只有滌垢除污，才能得到真正地安定團結。這類作品，正是變的動力、變的催生劑。

『中共領導層中，也有人的確想滌垢除污，也有人的確想把死局變成活局。但他們的作法，依然是「家訓」性格，不願有家庭以外的力量參與。「家訓」是很重要的；但僅靠家訓並不能教好子弟，所以「古人易子而教」。即是一定要有來自社會的「社訓」力量，與家訓相配合，子弟才易教好。這類文藝作品，應當看作是由社會來的「社訓」，是中共整黨所不能不借重的。』

——一九八〇／六／八，〈文藝與政治〉，《華僑日報》

中國大陸之四十

『造成今日中共最基本困難的，是由對人格的徹底破壞、由對文化的徹底破壞，造成了對人的大破壞。

『共產黨似乎沒有人格觀念，這裡只最低調地指出，羞恥之心是人格的基點。羞恥是每一個人精神上的最低防線，同時也是社會安全上的最低防線。撤除了這道最低防線而成為無恥之人，便成為無所不為之人。無所不為之人，對自己是虛無，對社會是威脅。所以培養人的羞恥之心、保持人的羞恥之心，是自古以來政教中的大事。

『以羞恥為基點的人格，同時即有「自主」與「尊嚴」的意味。

『使用鬪爭手段，摧毀敵對者的人格，毛澤東破壞的九億以上的人民的人格，即是破壞了九億以上的人。這是中共今日遭遇到的最嚴重問題。』

——一九八〇／七／二十二〈一個普通中國人眼中的毛澤東〉，《華僑日報》

中國大陸之四十一

『中共目前所努力以赴的，即是一般所說的人的教養問題；我對此問題，試標舉「正常即偉大」五字，作若干常識性的探索。

『何謂「正常」？正是正派；常是尋常。因此，所謂正常，是指正派而又極尋常的人所過的正當（去聲）而又極尋常的生活。在正常以上的是「非常」，在正常以下的是「反常」。

『三個通俗名詞中，尋常之常，是理解問題的關鍵。因為是尋常的，所以在時間上有較長久的安定性，在空間上有較大的普遍性，動植物都是在安定穩定的基盤中，向上向前生長，人也是一樣。

『非常之人與非常之功，乃在某種「非常時機」中偶然出現。

『非常時機，常常是人類命運受到考驗的危機時代。在危機時代由非常之人，建立非常之功，其目的與結果，應當是開闢一個新的安定時代。

『在安定時代中解決問題，都有大家所共許、共知的方法手段，派不上使用非常手段的非常之人與非常之功。

『假定在安定的時代，或者是在追求安定的時代，而依然要社會大眾，學習非常之人與功，結果只落得一場大話。

『以戰場上的行為來規律一般人在尋常生活中的行為，經常得要大家毫不利己、專門利人，這便成為一番大話。

『把非常之人、非常之事，由一、二人推及大多數人，由偶然性推及成必然性，其結果，遂使「非常」跌入「反常」。

『考驗這類言論的有效辦法，還是孔子所說的「君子求諸己」、「是故君子有諸己，而後求諸人；無諸己，而後非諸人」的尺度。

『主張「要廣泛開展以講文明，講禮貌、獎秩序、講道德、講衛生，和提倡心靈美、語言美、行為美、環境美為內容的文明禮貌活動」。雖然提得「本之則無」，但這是很低調而切合實際的「正常」的要求。

『在上述的要求中，又來一個「學雷鋒，樹新風」的老口號，撐著非常之人的帽子，來學低調的、正常的文明禮貌生活，這便把有實踐性的東西架空了。

『何者是正常，何者是不正常，乃決定於大多數人心的所安，及生存的需要。

『正常必具備有社會性、傳統性。

『就中國說，祇能以孔子之教為代表。而孔子之教，應以《論語》為代表。』

『孔子對正常的開闢、建立，用的是君子與小人之辨。

『他對新與的「士」的要求，都是期待他們成為一個君子。他說：「君子恥其言而過其行」；通過一部《論語》，都貫徹著「言之必可行；行之也必可言也」，「君子欲訥於言而敏於行」的實踐（行）重於宣傳（言）。

『孔子非常重視忠信。朱元晦的解釋是「盡己之謂忠，以實之謂信」。論語中說了三次

「主忠信」。又說：「言忠信，行篤敬，雖蠻貊之邦行矣。言不忠信，行不篤敬，雖州里，行乎哉」。

『孔子又說：「居處恭，執事敬，與人忠，雖之夷狄，不可棄也」。

『對青少年說，孔子要求「弟子，入則孝，出則悌；謹（行）而信（言），汎愛眾，而親（親近）仁。行有餘力，則以學文（讀書）」。

『由孔子之教所成就的偉大，是與正常在一起。偉大即是正常。正常即是偉大。』

『我所以用「正常」兩字翻譯「中庸」兩字，是因：

『中是無過、無不及，恰合人與事客觀的分際。用現代語言表達，是不左不右地實事求是的「是」。

『庸合「用」與「常」以為義，是人和人當做、而且也能做的有意義的行為。用現代語言表達，是有社會性、大眾性的有意義的行為。

『因為是中，才可成為庸，所以中與庸是一而非二。

『《論語》中有一淺顯例子：「或曰，以德報怨，何如？子曰，何以報德，以直報怨，以德報德。」以德報怨，因失其中而為一般人作不到。並且用相同的手段，以處理德與怨兩種性質不同的事物，便失掉用合理的差別方法，以鼓勵社會向善的意義。這是不能，也不可社會化、大眾化的。』

——一九八一／一／二十八、二／三、四、十七、二十四，〈正常即偉大〉，《華僑日報》

中國大陸之四十二

『中共現代化運動中的軍隊現代化，不僅是裝備問題，最緊要的是政治意識問題；即是要由私人軍隊的意識，通過黨化軍隊以走向國家軍隊的意識。消極而具體地表現，即是軍隊不直接干預國內的政治問題。

『在軍隊現代化中除了建立軍隊的真正愛國精神、不參與內政活動外，建立徵兵制度，也應算有重大的意義。』

——一九八一／五／三，〈中共解放軍的進路〉，《華僑日報》

中國大陸之四十三

『在今天中共的領導層內，應推胡耀邦最為開明；鄧把他推上第一把交椅，而自己甘居第三，這在中國是談何容易。孟子說：「以天下與人易，為天下得人難。」要現有「以天下與人」的公心，再加上智慧與毅力，才能「為天下得人」。鄧小平這次似乎做到了「為天下得人難」的「獨為其難」了。』

——一九八一／八，〈解答了的，和沒有解答的〉，《七十年代》一三九期

中國大陸之四十四

『中國史學，可以說是「行為因果規律」的史學。有某種行為的「因」，便得到與其「因」相應的「果」，歷史便是這種因果報應的展現，此之謂歷史規律。有規律的東西才能為人所了解；人對事物的了解，即在能把握它的規律。

『以暴力換來暴力，暴力的結果即是滅亡，這是歷史消極地一條規律。由反理性走向「近理性」，由近理性而可能走上理性，其結果即是安定，這是歷史積極地一條規律。

『毛澤東親自發動、領導的文化大革命，是反理性的。華國鋒憑「你辦事，我放心」六個字取得黨、政、軍的最高領導，是反理性的。

『假定中華民族還有生命潛力，一定要從這種反理性中突圍出來，雖然一下子規整不到理性上去，也必須規整到「近理性」上去；

『六中全會的結果，是從萬苦千難中得來，我依然認為是為上述歷史規律，提供了初步的證詞。』

——一九八一／八／五，〈歷史曲折中的規律〉，《華僑日報》

中國大陸之四十五

『中共執政以來，根據馬列階級鬥爭理論，以逼使廣大人民流血流淚的手段，分裂進每一個家庭裡面乃至每一個農場、每一個工廠裡面去，造成人類史以前未曾出現過的民族徹底地分裂。人民若有流亡在外的親屬，這種「海外關係」，便成為莫大的罪名，必被整得死去活來，受到非人的待遇。我很感謝鄧小平先生，他三度復出後，極力彌縫這些瘡口。』

——一九八一／十／十五，〈我對葉劍英所提九點和平統一號召的若干想法〉，《百姓半月刊》九期

中國大陸之四十六

『文化大革命消滅古、今、中、外文化的積累，破壞培養文化知識的一切制度，實行層層地全面專制。

『凡是有點知識、說點實話、做點實事、對人懷點好意的人，統統被消滅、被蹂躪；幾千年人類積累的，人之所以異於禽獸的基本價值、基本條件、統統被誣衊、被踐踏。

『坐直昇機起而代之的是毫無知識、專說假話、專做壞事、專存心害人的大批人，既沒有人格、更沒有國家觀念，所剩下的只有由階級理論而來的特殊身分。

『鄧小平們的努力，無法消滅他們有階級理論作根據的特殊身分，及由特殊身分所能獲得的特殊利益。身分是終身的，他們自然要求終身職，身分的內容是「血親」，他們自然要求特別提拔子女親戚。工人的身分是高農民一等，他們自然要求憑身分吃飯，吃得由父而子，決不願憑工作價值吃飯。』

——一九八一／十一／十四、十五、十六、十八〈舊封建專制與新封建專制〉，《華僑日報》

中國大陸之四十七

『關於專制封建的毒害，我認識了幾十年，也思考了幾十年，結論是除了堅決地走向民主之路以外，沒有其他醫治的方法。民主不可一蹴而幾。但為了堅決走向民主之路，我始終認為中共應首先做三件事。

『第一：應確立國家、人民，為政治的主體；由國家、人民的大利大害來考驗一切主義、思想，不是由任何主義、思想來考驗國家、人民。

『第二：應根據國家、社會、人民的「正常生活」的要求，重新訂定法律，以恢復人民對政府、對他人、對自己前途的信心、信任。

『第三：二十多年來，由外而來的毀滅的中共的力量，可以說微細得不足數齒。毀滅中共的是中共自己。應大大鼓勵批評文學，鼓勵寫實文學及新聞報導，發揮輿論的力量，以補救領導人的心思、耳目所不及。應當承認輿論的力量，即是政治領導人的力量。』

——一九八一／十一／十四、十五、十六、十八〈舊封建專制與新封建專制〉，《華僑日報》

中國大陸之四十八

『中共即使不要民主，但為了社會安定，也不能不要法治。香港沒有民主，但香港有法治。法治是要上、下共守的。不論「無產階級專政」也好，或「人民專政」以好，都是把三千九百萬中共黨員高置於「法治」之上，隨時都可用專政的名義摧毀任何「法治」。「專政」與「法治」是絕對不能相容。

『中共憲法第二條，把共產黨及馬列主義、毛思想一下子扼住整個憲法，使共黨、毛思想，通過這種條文，不僅公然高高地騎在人民的頭上，並且公然成為十億人民頭上的「金剛咒」。這站在社會主義國家體制上，也是奇文、笑話！』

——一九八二／一，〈對中共修改憲法的意見〉，《明道月刊》十七卷一期

拾肆、海峽兩岸

海峽兩岸之一

『我們暫時把政治的許多大道理擺在一旁，而僅就以人民生活直接有關的經濟問題來著眼：

『假定國民黨能加上中共兩、三分的刻勵奮發、沒有中央民意代表的長期敲索阻擾、沒有大小官吏的腐化貪污、沒有變形買辦的依賴媚外，則台灣的經濟發展又何止此？

『假定共產黨能有國民黨治下的三、四分自由、自留地由百分之五增加到百分之三十、四十，假定徵購有法律上的固定規定，油、鹽、衣著等必須消費品不作政治性的配額限制，則大陸上經濟的成就恐怕也不止於此。』

——一九七二／三／二十一——二十二，〈台灣經濟漫步〉，《華僑日報》

海峽兩岸之二

『自從中共去年進入聯合國，尼克遜親訪北京，在海外的知識份子，發生一股回歸運動的浪潮，從十多年的「非中國意識」中，復甦了中國意識，這不能説是壞事。但心中無投機雜念、生活無特殊憑藉、擺脱一切個人利害、為國家前途思考問題的，可以説少而又少。假定出之以良心的責任，發揮道德的勇氣，為國家前途思考問題時，對中共總不會出之於全面的肯定或全面的否定的態度，而希望中共能有所改變。』

——一九七二／六／十一，〈熊十力先生之志事〉，《華僑日報》

海峽兩岸之三

『中國問題，將由修正主義而得到解決，將由「人權」得到保障而得到穩定。』

——一九七二／六／十一，〈熊十力先生之志事〉，《華僑日報》

海峽兩岸之四

『日本與台灣的利害關係，超過美國與台灣的利害關係。中共決不會允許日本染指台灣，日本也絕不願意台灣完全歸附中共。』

——一九七二／六／十六，〈日、美之間的墜歡重拾〉，《華僑日報》

海峽兩岸之五

『毛澤東為中國人出口氣吧，向日本要求一千億美元的賠償不算多。要到手之後，分一百億給臺灣，以補償台灣人民所受到的五十年的壓抑和侮辱。

『此之謂：「一切為了人民」。』

——一九七二／八／二十四，〈毛澤東為中國人出口氣吧！〉，《華僑日報》

海峽兩岸之六

『其次（註：中共於一九七二年與日本簽訂極有利於日本的和約）是為了迅速孤立台灣，削弱美國對台灣的現行政策，以便早日解決台灣。我是贊成國家統一，而且認為遲早會統一的。但以對外的屈辱，以圖達到對內的併吞；這與國家的統一，相差太遠；而且是再一次證明了「勇於私鬥，怯於公戰」的中國人的劣根性。』

——一九七二／十／一，〈中共、日本聯合聲明的分析〉，《華僑日報》

海峽兩岸之七

『只要是中國人，應當有一個共同的認定，即是維護自己國家領土主權的完整。在這種地方，不應當有兩種看法。』

——一九七三／一／三，〈一九七三年的待忘〉，《華僑日報》

海峽兩岸之八

『每一有良心血性的中國人，無不迫切期待我們的國家有光輝的前途。因此，也自然迫切期待中國共產黨只做好事、不做錯事。好的標準，是活生生的八億人民的有意義的生存。』

——一九七三／九／二十七，〈一番沉重的良心話〉，《華僑日報》

海峽兩岸之九

『中共與越共的冷淡關係，若是來自西沙群島等主權問題，我們自然和中共站在一起。』

——一九七五／十一／五，〈中共國際戰略的危機〉，《華僑日報》

海峽兩岸之十

『我們雖然身在海外，雖然反對共產黨，但是我們非常愛我們自己的國家，非常希望共產黨做得好。』

——一九七六／二，〈周恩來逝世座談會〉，《明報月刊》十二卷二期

海峽兩岸之十一

『在臺灣的安全問題，沒有得到保障之前，卡特們在新保守主義壓力之下，為什麼要急於與中共關係正常化呢？』

——一九七七／七／十五，〈瞎遊雜記之二〉，《華僑日報》

海峽兩岸之十二

『我和傅（註：傅偉勳）先生，決不否定海外學人「向祖國回歸」的心理。這只要想到漂浮在海外，感到自己的一切，沒有地方可以生根時，便自然有向祖國回歸的要求。這是人類良心、道德的最基本的要求。

『但隨著此一要求而同時發現的，應當是我們的人民及人民所活動的河山歲月才是祖國的實體，而並不是某些權勢。有的權勢是代表人民利益，是帶著人民前進，使河山歲月因此增輝的，當然值得「與祖國同在」地加以愛護。但有的權勢，卻恰恰相反，而我們依然愛護他、恭維他，則我們所愛護的是權勢，不是祖國。』

——一九七七／八／二十二，〈瞎遊雜記之十〉，《華僑日報》

海峽兩岸之十三

『近來不少人提到中共在對日抗戰爭，以抗戰為名，以奪權為實的教訓。

『不問自己如何，而只罵對方怎樣，在實質上只是一種懦夫；先有勇氣「知己」，才會有效的「知彼」。假定日本投降後，我們不出現「大劫收」的情形，不出現在偽軍處理上為淵驅魚的情形、在整編上不出現要兵不要官的情形，在選舉上不出現為爭權奪利而廉恥喪盡、百政俱廢的情形，在大敵當前，國民黨內部不出現因利害之私、而製造政治、軍事大分裂的情形，則結果又將怎樣？』

——一九七九／四／十七——十八，〈國族與政權〉，《華僑日報》

海峽兩岸之十四

『大陸是中國的主體，臺灣是中國永遠不能分割的一部分。』

——一九八〇／二／一，〈八十年代的中國〉，《中報月刊》一卷一期

海峽兩岸之十五

『中共、蘇聯意識形態的衝突，是表面的。民族利益的衝突，才是最基本的。

『假定我們和它（註：蘇聯）站在一起，等於是我們幫著敵人對自己國家的侵略，這在現代和將來的歷史上，是怎樣也不能得到自己民族原諒的。

『民族主義，是國民黨最基本的立足點，誰損傷了民族主義，誰便是國民黨的叛徒。』

——一九七八／六／二十八，〈面對我們國家若干問題的思考〉，《華僑日報》

海峽兩岸之十六

『我認為：不論鬪爭如何激烈，但在下列三點上，國共兩黨，今後應當是相同的。

『第一點是對抗外來的侵略。

『第二點是確立民主法治，提高人民生活水準。

『第三點是實現國家的統一。』

——一九七八／六／二十八，〈面對我們國家若干問題的思考〉，《華僑日報》

海峽兩岸之十七

『但不約而同地都認為目前在「不提台灣獨立」的原則下，應當維持現狀，一直維持到大陸民主的實現。』

——一九八一／七／二十六，〈域外瑣記〉，《華僑日報》

海峽兩岸之十八

『假定中山先生復生，看到臺灣的情形，他一定認為他理想中的民主政治條件已經成熟了，他會摸摸蔣經國的頭說：「孩子，幹得不壞。但你不要害怕民主。只要邁向民主，即使國民黨的政權在和平轉移中失掉了，也是國民黨的大成功。因為這樣才能為國家奠定長治久安的基礎，你個人也才算有了結果。」

『假定中山先生看到今天大陸的情形，會摸著鄧小平的頭說：「你很能幹，你的處境也很困難。但要有大公無私的精神、有計畫、有步驟的放棄四個堅持。更應該讓老百姓和知識分子多講講話。」

『對香港的年青知識分子會有什麼忠告，我想孫中山先生會這樣講：要以大公無私的態度來看自己國家的問題、研究自己國家的問題。不要投機、不要猥瑣。應該在香港這個地方堂堂正正的做一個中國人，表現一點辛亥革命先烈的革命精神。

『我覺得奇怪的是，有些人可以不必投機，還是要投機；有些人可以不必猥瑣，還是要猥瑣；知識分子的精神好像是髒髒的、猥瑣的。在美國所看到中國知識分子也是這樣，不敢講真話。』

——一九八一／十／一，〈你們應該反省〉，《百姓》九期

海峽兩岸之十九

『中共當然希望美國加強對臺灣的壓力，以便他們由統戰來瓦解臺灣，迅收統一之效。

『但一、從歷史說，臺灣是美國的親密戰友，而中共是美國的敵人；要美國於一旦之間，棄友從敵，在人情上是強人所難。何況臺北政權，是延續而不是新建的。二、臺北、北京，雖都缺乏政治上的自由，但因臺灣保有私有制，因而有很大的社會自由、經濟發展，生活水準，遠在大陸之上。中共雖然宣稱可以保存臺灣現行體制，然則中共的諾言，又有什麼方法可使臺灣大多數人民相信。經過一次激烈政治變動之後，毀了臺灣，並裨補不了大陸。三、臺灣在軍事上威脅不到大陸。

『臺北與北京的歧見，和蘇聯及越共的狂暴比較起來，對中共來說，也只能算是「小局」；讓這種小局維持現狀，以爭取大局的戰略利益，這也算是「大局為重」的合理決定。』

——一九八一／六／二十八，〈大局為重〉，《華僑日報》

海峽兩岸之二十

『我盡量避免談統一問題。

『這個問題我的看法很簡單。在目前我認為是應把現狀維持下去。

『臺北沒有政治自由，北京也沒有政治自由。但是臺灣因為有私有財產制度、有大量社會自由，共產黨卻沒有。從經濟方面說，大陸比臺灣差得遠。

『誰不願意統一呢？我不忍看到一千七百萬人……這是事實上如此。

『一個國家，兩個政府，也可能是一條路。

『關於統一的基本信念，我沒有放棄。不過在目前的情況下，怎麼統一呢？暫時相安下去，和平共存。』

——一九八一／十，〈徐復觀談學術與政治的關係〉，《華僑日報》

海峽兩岸之二十一

『我心裡非常希望國家能早日得到統一，這是來自我生命的根源以及所受的文化背景，和對於自己國家無條件的摯愛。

『我認定國家的統一，是一個不能變更的方原則，但站在中共的現實立場，並非今天最緊迫的任務。』

——一九八二／一／九〈同時結束一黨專政？〉，《華僑日報》

附錄

附錄一

徐復觀教授的軍政生涯事略

一九三二年～一九五一年

楊誠　徐武軍

本文依照徐復觀先生追憶性文章的內容、國史館中已開放的檔案資料、及其他資料，將徐復觀教授一九三二年至一九五一年的生命歷程區分為：一九三二年～一九三八年、一九三九年～一九四二年、一九四三年～一九四五年、一九四六年～一九四八年和一九四九年～一九五一年五個時段，陳述徐復觀教授在這二十年間的軍、政經歷和志業。徐復觀教授個人的經歷在二十年之間，起伏變化極大，持續不變的是他對人民、民族和國家的熱愛和付出，以及不「屈志」的風骨。他曾在一九四四年～一九五〇年間進入到國民黨的核心，他期望國民黨能透過「耕者有其田」的過程來解決貧、佃農問題和農村問題、向下紮根、走向民主化。在民主化上，徐教授的願望落了空。而國史館的資料明確顯示：國民黨在台灣施行的「耕者有其田」方案源自徐復觀教授；徐復觀教授的努力，沒有完全落空。

*原載二〇一七年七月《鵝湖月刊》四十三卷一期，及《當代新儒家與當代中國和世界》，孔學堂書局（二〇一七年九月）頁二〇四—二一二。內容略有修正。

一九三二年～一九三七年

一九三一年九月十八日，日本策畫了九一八事件，展開掠奪我國東北的軍事行動。當時在日本士官軍校就讀的徐復觀教授（二十三期）發起罷課抗議，遭日本憲兵單獨拘留三日，全班輟學返國。北伐之後，以國民黨為中心的國民政府是以統一軍、政為施政重點。軍隊的幹部以黃埔軍校和陸軍大學的畢業生為主，要將返國投軍的士官軍校學生編入黃埔軍校就學，畢業後再分發工作，未被這批返國的士官生接受而各自尋出路。

一九三二年五月，經劉為章先生介紹，徐復觀教授先後在廣西白崇禧將軍的警衛團任上尉副營長、少校團副、及柳州空軍學校學生隊隊長。廣西桂系（李宗仁、白崇禧、黃紹竑等）和中央政府分治，徐復觀教授認為國家應走向統一，而且警衛團是保護個人、空軍學校不涉及眞正的「軍事」，對要「報國」的人來說，二者都是「閒差」，因而辭職離開廣西。(1)(2)

在一九三四年至一九三八年間，除了曾短暫擔任南京市保衛團主任兼上新河區長之外，徐復觀教授追隨桂系在中央政府任職的黃紹竑先生工作。於一九三四年五月，由時任內政部長的黃紹竑指派帶隊考察由歸綏至新疆的行軍路線。一九三五年，黃任浙江省主席、徐教授任上校參謀；五月，黃兼任滬杭甬指揮官，徐教授參與準備抗日戰爭的防衛工作和作戰計畫。一九三六年夏，黃調任湖北省主席，徐復觀教授任保安處第一科科長。一九三七年七七抗日戰爭爆發，黃兼任第二戰區副司令，徐復觀教授隨同參與娘子關戰役（一九三七年十月）。(3)(4)(5)

在這一段時間中，徐復觀教授是以做一個保國衛民的軍人爲志業，他在廣西翻譯日文的「戰術講授錄」；一九三五年規劃泸杭甬地區防衛規劃；一九三七年十月在娘子關，『我也一天兩晚地當了副司令官』。(5)

在軍事的專業上，徐復觀教授不能屈志忍受黃紹竑的低能：『我和黃先生在軍事上抬過兩次相當厲害的槓。一次是民國二十五年在浙江平湖金山乍浦一帶規劃國防工事時，我認為明代倭寇，常由金山乍浦的海上登陸，所以主張也應顧慮到將來有這種可能性，尤其主張在「獨山」應有對海的工事。黃認為由上海向杭州前進，有一條鐵路和兩條公路，敵人絕無由海上登陸的可能。不幸……敵人果然從金山乍浦的海上登陸，繞道國防工事的後面，前功盡棄。第二次是這次娘子關戰役。……娘子關的右前方，有個「舊關」。……敵人攻娘子關正面挫折後，我判斷敵人有由舊關繞道娘子關右方的可能，曾再三主張留一小部份隊，例如一個營，到舊關隘口去負防守並監視之責，黃怎樣也不肯接受。……敵人果然從舊關鑽進來……』。他對黃紹竑軍事能力上的評價是：『黃以在廣西打濫仗的經驗，貿然授受國際戰爭中的大軍指揮，我實在沒有一次發現他運用過指揮能力』。(5)

在娘子關戰役之後，徐復觀徐教授至武漢另謀出路。

一九三八年～一九四二年

這是徐復觀教授生命中動盪很大的四年：

一九三八年，在和黃紹竑分手後回到武漢市，沒有接受擔任大冶縣（黃治市）縣長的派任，接受何雪竹先生派任爲八十二師的團長，駐防老河口。八十二師不隸屬於國民黨的黃埔軍系，人員及裝備均不足，是「雜牌軍」。徐教授在任內清剿土匪、安定地方有成。七月將妻子及長子送返浠水家鄉，受命防守武漢下游的田家鎮。九月，田家鎮失守，徐教授被軍法判死刑，經各方營救得免。(7)(8)(9)

一九三九年，任第六戰區（司令官程潛）黨政委員會政治指導員，於下半年檢閱冀查站區游擊部隊。直接接觸到共產黨控制下的老區，瞭解到共產黨控制人民的手段，以及爲戰爭所做的準備工作，並經歷了共產黨爲擴充勢力對國民黨游擊隊的攻擊行動。(10)(11)

一九四〇年經朱懷冰先生的推薦，任荊宜師管區司令，任內歷經黃埔系統打擊。(6)

一九四二年師管區解散，派任重慶中央訓練團兵役訓練班教官。(6)

在這四年中，徐復觀教授受到黃埔和陸大畢業生的排擠(4)(5)，漂泊不定。按，在抗日戰爭期間，軍、公、教待遇不好是普遍的現象。師管區負責徵兵、糧，主事者在下任後多不缺衣、食，而徐教授在重慶貧不能自存。

一九四三年～一九四五年

一九四三年是徐教授從要退隱故鄉轉而成爲蔣介石先生的核心幕僚的轉折年。年中，由康澤推薦爲軍令部駐延安八路軍總部聯絡參謀[6][13]，在延安約六個月。返回重慶後經蔣介石召見、慰留，撰寫〈中共最新動態〉，受知於蔣介石[14][15]，兼任軍委會黨政軍聯合會報秘書處（簡稱聯秘處）秘書，後任副秘書長；本職先爲參謀總長（何應欽）辦公室高參，一九四四年調侍從室第六組（組長唐乃建）。開始參與由蔣介石主持的「官邸會報」。一九四五年五月國民黨第六次全國代表大會，任總裁（蔣介石）隨從秘書，書面呈報「觀察所得的現象、危機、及如何徹底改造黨和政權的性格、基礎等問題」[6][12]，得到蔣介石先生的認同。徐復觀教授開始接觸到國民黨中的高層黨、政、軍人物，參與機要。

在國、共聯合抗日的時代，中央政府（國民黨）先後派出五批、共十人駐延安。徐教授是最後一批，在延安曾和毛澤東在軍事、民族的前途，以及如何發展國家的力量以救中國等各方面深入交換意見。在回到重慶之後，經何應欽先生的引薦，得以和蔣介石先生第一次單獨見面，向蔣介石報告對共產黨的目標、做法和執行能力的看法，得到蔣介石先生的讚賞，進而積極的將徐教授留在重慶，並給予參與決策的機會。這是影響到徐教授後半生的「不世之遇」。

在國共的對比上，基於對中共的意志力和組織能力的瞭解，徐教授認爲「國民黨像目前這種情形，共產黨會奪取全面政權的」。(6)這種觀點完全不能爲在重慶的黨、政、軍人士所接受。

在政治上，徐復觀教授：『我瞭解書本上的政治和政治人物，尤其我常常留意歷史上的治亂興衰之際的許多徵侯，和決定性的因素。這便引起我有輕視朝廷之心，加強改造國民黨的妄念』。(6)『我重方向，重原則，要先確定方向，原則……我的觀點也可能是受到我的軍事智識的影響。中國能徹底了解克羅賽維茲的《戰爭論》及魯道夫《全民戰爭》，大概只有我一人吧』。(6)

『我當時認為國民黨的組成份子，完全是傳統的脫離了廣大社會群眾的智識份子。這種智識份子，只有爭權奪利才是真的，口頭上所說的一切道理都是假的。……要以廣大的農民農村為民主的基礎，以免民主成為智識份子爭權奪利的工具。一切政治措施，應以解決農民問題、土地問題、為總方向、總歸結』。(6)徐復觀教授提出「民主」和「解決農民和土地問題」爲改進國民黨的目標，國民黨內的人士並不能理解。陳布雷先生即認爲：「至於說到要建立以自耕農爲基礎的民主政治，和解決土地問題，我都不很懂」。[6]但是從面對面討論的過程中，徐教授認爲蔣介石理解、同情他的論點和看法。[4]即是在「知遇」之外，徐教授認爲通過蔣介石，有實現自身的抱負和理念的可能。

一九四六年～一九四八年

一九四五年八月抗日戰爭勝利結束，中央政府在一九四六年遷回南京。由於國、共戰爭，聯秘處恢復並擴大運作，成爲國民黨中央黨部的聯合秘書處。徐復觀教授仍任副秘書長（秘書長先後是谷正鼎和蕭贊育），參與高層會報及籌劃應對時局變化方略的機會很多，是徐教授在國民黨內影響力最顯著的時段。

『當我以一個無名小卒，向他（蔣介石）陳述黨政危機及中共有能力奪取整個政權時，似乎都能給他以深刻的印象。於是我幾次向他進言，希望把國民黨能改造成為代表自耕農及工人利益的黨，實施土地改革，把集中在地主手上的土地、轉到佃農貧農手上，建立以勞動大眾為主體的民主政黨』[4]，『如果沒有這種妄念，我便對所作的工作毫無興趣』。[12]

但是大的局勢已不可爲。『有四件事，已決定了政權的命運，不是地位低微的我所能為力的。第一、由瘋狂劫（接）收更進一步為瘋狂的物質享受的追逐。第二、由頑固而又非常自私的整編政策，變成無可用之將，無可用之兵。當時硬性遣散游離部隊的口號是要「讓這些東西去害死共產黨」，山東、東北的共產黨，就是這樣害大了的。第三、「三個月消滅共匪」、「六個月消滅共匪」的作戰指導方針，輕突盲進，軍力受到大量的消耗。第四、黨內瘋狂的選舉競爭，在生死關頭，選到從中央地方的虛脫狀態。』(4)

日本人占領的「淪陷區」，是抗日戰爭結束時經濟情況比較好的地區。國民政府的「接收」人員，如果能以「同胞」的身分和態度來進行「淪陷區」的政權和治權轉移，則中國就可能平順的走上復興的道路。而事實上「接收」人員是以『勝利者』的心態進入「淪陷區」，『先搶漢奸的財產，繼搶敵人留下的物資……這批「劫收」闖將，從工廠、交通機關等搶入私囊者不過百分之二、三，但是工廠、交通機關的百分之九十七八皆隨百分之二、三的抽筋折骨而殘廢』。(16)這便製造出更多、更大的經濟、社會和民生問題。這是徐教授所說的第一件事。

徐教授說的第二件事是：『頑固而又非常自私的整編政策』，指的是在抗日勝利之後，國民黨一方面將非黃埔系統的「雜牌軍」解散，另一方面拒絕收編日本留下的「關東軍」和「僞軍」；於是林彪接收了「關東軍」，劉伯誠接收了大部分的「僞軍」，成爲了共軍的主力部隊。

前兩件事說的，是國民黨在抗日戰爭所得到勝利之後，即喪失了整體的民族和國家意識，用「自私」的心態和做法來處理戰後國家的「復原」工作，造成經濟不振、民生困苦的後果，同時壯大了共軍。第三件事是國民黨用「自大」和「自私」的態度來處理和共產黨的武力戰爭。

第四件事指的是自一九四七年開始，爲了由「訓政」走到「憲政」的各種「委員」和「代表」的選舉：『當時風雲已非常緊急，全國搶選舉，卻如醉如狂，自中央以至地方，各種實際工作皆廢棄一旁，使使全國成癱瘓虛脫狀態』。(16)在總統和副總統的選舉過程中，更造成了和桂系的分裂；即是，反共力量的徹底分裂。在國民黨自中央至地方、各種實際工作皆廢棄一旁、全力投入選舉的同時，共軍在穩定的加強控制力和擴充軍力，以便決戰。

一九四八年五月二十日第一任總統就職，隨之而來的是金元券的崩潰，和經濟及社會的全面失控。在軍事上，一九四八年秋，林彪在東北發動全面攻勢，粟裕的華東野戰軍進攻濟南，鄧小平和劉伯誠的中原野戰軍在河南發動攻勢，會合粟裕發動了決定性的淮海戰役。一九四八年底，共軍取得了勝利，蔣介石被迫下野而由桂系的李宗仁代總統。共軍在一九四九年五月度過長江，中華人民共和國在一九四九年十月一日宣告成立。

即是在現實上，國民黨的心態和做法，和徐教授希望能將國民黨改造成爲「以大眾爲主體的民主政黨」來「救中國」的「妄念」是全不相容的。

在工作上，蔣介石在培育蔣經國爲接班人，要求徐復觀教授全力配合蔣經國。有徐教授提出的規劃，交由蔣經國執行得面目全非的：有徐教授的計畫由蔣經國具名上簽的、也有蔣經國提出計畫加上徐教授署名的。(4)徐復觀教授要改造國民黨的目標，是要國民黨在基層扎根、民主化、以接地氣，進而改造中國。蔣介石則是要用黨的改造來排除異己，爲蔣經國全面掌權開路。這是徐教授要離開蔣介石和國民黨的原因。終其生，徐教授決不認同蔣氏父子「傳子」的做法。『決心離開他（蔣介石），決定於民國三十七年（一九四八）之夏。』(17)

是以『我從三十七年（一九四八）春起，實際上已擺脫了我的工作。』『布雷先生當時是處於「宣傳總參謀長」的地位，當我為形勢所迫，不能不接受布雷先生加給我的主任秘書頭銜……』。(18)『不久，布雷先生死去，我無官守言責，也攜眷移居廣州』。(6)

是以在一九四八年初，由於徐教授對國民黨致全力在選舉而忽視社會民生問題、忽視整軍備戰等問題的嚴厲批評，他和蔣介石之間的關係已開始轉淡，工作的內容由第一線的策畫性的工作轉爲第二線的宣傳；同時徐教授的「妄念」消失，在一九四八年十一月底已離開南京。在這一段時間內，他在一九四八年中解決了《華僑日報》不能內銷的問題，結下了三十餘年的文字緣。

一九四九年～一九五一年

一九四九年初，徐復觀教授奉召去溪口[19]，是時蔣介石已下野。『蔣公此時有決心改造國民黨。策劃的責任，落在經國先生身上。』最初徐復觀教授列名在改造核心小組名單中。『推我當副書記，我當場拒絕』，『我由廣州到台灣，住在台中；有一天袁守謙先生來……小組遷到廣州，要我到廣州去主持，我更不會接受。』、『要我幫著籌辦革命實踐研究院，我沒有接受。』，『後來又給我一種組織性的任務，拖了三、四個月，也完全擺脫了』。[4]說明如後。

蔣介石在冷落徐教授一年之後，再召喚徐教授至溪口的原因，應該是借重徐教授的規劃能力，藉以再起。而徐教授在已無「妄念」之後仍奉召至溪口，應是回報「知遇」之恩，在態度上從主動轉爲被動，他的底線有二：一是國民黨改造的大方向是要向下紮根，民主化；二是不能「屈志」於蔣經國。爲了守住底線，他選擇離開國民黨的「核心」、以至於離開國民黨。

在《蔣中正總統檔案——事略稿本》第七十九卷，頁二六八中，一九四九年三月十八日『下午，研究徐佛觀同志所擬重新革命方案』。七十九卷，頁二七三，一九四九年三月十九日：「接見徐佛觀同志，研討其所擬定重新革命意見書，並與指示」。是以徐教授的確擬定了一份國民黨的改造計劃，徐教授擬定的改造計畫和日後通過的改造計畫差異極大。

萬大鋐先生曾與徐教授共事、交往，且長期爲蔣經國工作，他指出：『國民黨的改進方案，是徐復觀兄一手起草的，但後來發表的改造委員名單卻沒有他，……經國要復觀兄以對待老先生的態度對待他，復觀兄不肯，二人就此鬧僵，復觀兄從此退出政治圈子。』(19)

根據國史館的檔案，徐教授在一九四九年四月二十八日提出辭呈(20)：『懇請准辭去副祕書長職務，以新聞記者名義派赴東北日本朝鮮等地考察。職參加聯秘書處職務，前後將及四年，竭智盡忠，無憚艱鉅，擬懇准辭去副祕書長職務，以新聞記者名義派赴東北、日本朝鮮等地考察半年，或准辦刊物，藉得自修機會。』蔣批示：慰留。同時蔣介石同意徐教授開辦雜誌的建議，《民主評論》在一九四九年六月十六日在香港創刊。前文中提到的組織性的任務，是維護長江以南的國民黨力量的工作。徐復觀教授舉家遷至香港，住在紅墈蕪湖街，負責組織，陳大慶負責行動，蔣經國負責情報。徐教授拒絕蔣經國的組織兼營情報的要求，決裂引辭，於一九五〇年中舉家遷回台中。台北是台灣的政治中心，將家設在台中，是表明不參與政治活動的決心。

一九五〇年八月十六日，徐復觀教授用余天鵬的名字，在《民主評論》上發表了〈黨與黨化——獻給台灣國民黨的改造諸公〉。略引內容如下，或可說明徐復觀教授不願也不能參與國民黨改造的原因：

『……國民黨的改造，首應從這個潛伏的「黨化意識」把自己解放出來。』

『《民族主義》的第一句話是：「三民主義，就是救國主義。」由此可見孫先生對國家的虔誠悲憫；很顯然的，他是以他的主義、他的黨，作為救國的手段。他的黨是包含在國家之下，而不是超出於國家之上。』

『國民黨只是國家之內的一個黨。』

『此次的改進方案中，民主的氣氛，已增加不少。但從許多人的文章上、話裡，不斷流露出國民黨是「唯一」的口氣。既是唯一，便只有黨化，便自然極權。須知只有在現實界以上的東西，才可用上「唯一」的字樣，——如神、上帝。』(21)

作爲國民黨改造的起手式，國民黨要求國民黨員辦理「黨員歸隊」登記。徐教授沒有登記歸隊，因而被蔣介石找去訓斥了一次，這也是二人最後一次的會面。徐教授在〈對蔣總統的悲懷〉文中，對會面的過程，有如下的描述：『在一九五一年，我當面說他所做的黨的改造，是表面的，沒有實質的意義時，他才拍桌大罵一頓，但罵完後，還是和顏悅色的握手而別』。(17)面對最高的權勢，徐教授不「屈志」。

徐復觀教授在一九五一年初赴日本訪問，九月開始在台中農學院兼課，一九五一年十二月十六日在《民主評論》發表〈儒家政治思想的構造及其轉進〉，開始了他的學術人生。

徐復觀教授的遺產

在徐復觀教授的著作中，找不到徐教授二十年軍、政生涯中的事功。在國史館的資料中有下列紀載：

國史館檔案序號 001-016142-0013，一九四八年三月十八日徐佛觀教授提出『遵諭擬定「耕者有其田初步辦法」的簽呈』：『查「戰士授田」之決議已經四年，而政府毫無實行誠意。……職此處所提出者，乃最小限度之要求，而農民銀行主管處黃處長，並認為事屬必要，且為可行，但須迅速推動。……』

徐教授的簽呈，政務局在同年三月十九日會簽，蔣經國以代名「方見」於三月二十四日會簽。

國史館檔案序號 001-056230-01156，一九四九年五月二十八日，由蔣經國以代名簽發的簽呈，其結論爲：

……擬將徐佛觀擬案交由國防地政兩部與戰士授田案併案研究，擬定辦法施行。

《事略稿本》[14]第七十四卷，頁六一九—六二〇，一九四八年五月二十八日：『薛岳參軍長呈報：徐佛觀所擬「配合役政，推行耕者有其田辦法」案，係公家貸款購贖田地、採債券方式還本利息，仍由田產中收益支付，公家並無重大負擔，且按士兵家屬人口增減，於提高士氣之效用頗宏，擬將該案交國防地政兩部與戰士授田案合併研討』。公（蔣介石）批後許之。

要解決農業社會中由土地所有權集中所造成的貧富不均及相關的社會問題，就必須推行重新分配土地的土地改革政策；用和平的手段來推行的土地改革的最大困難在於執政者的意志力和資金。徐教授所提出的：『公家貸款購贖土地，採債券方式還本息，仍由田產中收益支付，公家並無重大負擔』，在實務上解決了推行土地改革所需資金的問題。台灣在一九五〇年代推行的「耕者有其田」政策，即是以此爲藍本。

徐復觀教授在七年的從政生涯中，一再提醒國民黨農民的重要，提出了解決土地改革的可行方案，應該是促成國民黨在台灣推行土地改革的重要因素。在二十年的軍政生涯中，他從不「屈志」，無愧於這塊土地和土地上的人民。

註釋：

(1) 徐復觀，〈軍隊與學校〉，《徐復觀全集》第二十四冊《無慚尺布裹頭歸，生平》頁八〇—八四，北京九州出版社（二〇一三）。

(2) 徐復觀，〈時代的悲劇〉，《徐復觀全集》第二十五冊《無慚尺布裹頭歸，交往》頁一五〇—一五三，北京九州出版社（二〇一三）。

(3) 徐復觀，〈抗日往事〉，同(1)，頁八五—九九。

(4) 徐復觀，〈垃圾箱外〉，同(1)，頁一〇〇—一二四。

(5) 徐復觀，〈娘子關戰役的回憶〉，同(1)，頁一二五—一三六。

(6) 徐復觀，〈曾家岩的友誼〉，同(1)，頁一四一—一五八。

(7) 徐復觀〈燒在何公雪竹墓前的一篇壽文〉，同(2)，頁一二三—一二五。

(8) 徐復觀〈我對何雪公性格的點滴瞭解〉，同(2)，頁一二六—一二八。

(9) 陶一貞，〈徐復觀與陶子欽、熊十力交往的點滴回憶〉，《徐復觀全集》第二十六冊《追懷》，頁五八—六四，北京九州出版社（二〇一三）。

(10) 徐復觀〈戰地舊事〉，同(1)，頁一三七—一四〇。

(11) 國史館檔案序號 002-090300-00208-075，一九四〇年一月二十一日，程潛的電報：『軍委會校閱第五組……本組主任徐佛觀……被十八集團軍支部隊約四千人圍襲……』。

(12) 徐復觀，〈末光碎影〉，同(1)，頁一五九—一六七。

(13) 《康澤自述及其下場》，頁一一九，《傳記文學社》，一九九八年五月二十日。

(14) 葉慧芬編輯，《蔣中正總統檔案——事略稿本》，第五十五卷，頁一七九—一八〇，一九四四年一月二十日：『審核徐復觀對共產黨批評與觀察報告，公（蔣介石）稱其吾黨中最正確之報告與最有力之文字也，三時赴黃山、繼閱徐佛觀之報告，至八時後方畢。

(15) 同(14)，第五十九卷頁五四一，一九四五年一月，『手諭講蔣育長經國曰：「平日對共產黨問題，可與徐佛觀互相探倘研究，……」』。

(16) 徐復觀，〈五十年來的中國〉，《徐復觀全集》的十四冊《論智識份子》，頁三三五—三四六，北京九州出版社（二〇一三）。

(17) 徐復觀，〈對蔣總統的悲懷〉，同(4)，頁二一〇—二一四。

(18) 徐復觀，〈「宣傳小組」補記〉，同(1)，頁一六八—一七一。

(19) 國史館檔案序號 002-070200-00024-062，一九四九年二月二十二日，『奉旨電報，廣州鄭秘書長彥棻，密請約徐佛觀同志來溪一唔，過沪時可與希聖同志同行前來並望塾旅費為盼望中』。

(20) 萬大鋐，《國共鬥爭的見聞》，頁一六五—一六六，台北李敖出版社（一九八五）。

(21) 〈黨與黨化——獻給台灣國民黨的改造諸公〉，《徐復觀全集》第二十一冊《學術與政治之間　續篇（一）》頁九二—九八，北京九州出版社（二〇一三）。

附錄二

父親的時代

徐武軍

這篇追憶性的文章，是試圖說明　先父徐復觀教授的理念和所面對的現實。對我們這一代，　先父是希望我們能把握住一些扎實的智識和技能，並盡可能地送我們出國，基本上是以能在亂世中生存爲目標。他從不對我們提及他的際遇和面臨的壓力，希望我們能生存於不同的、和現實政治無涉的環境中。由於自身的愚昧，要到二〇〇〇年之後，我才能從回憶和從先父的文章中，勉強地拼湊出比較全面的情境。

「我的政治思想，是要把儒家精神與民主政體，融合為一的」。(1)即是，先父的理念是：傳承民族的血脈，將先儒的人生理念和民本思維，與現代民主政體結合，開創中華民族的未來。　先父的志業是擇菁去蕪的宣揚中華文化、作爲民族和社會安身立命的基礎，學習西方的科學精神和智識、建立能代表多數人意志的政治制度，改善人民的生活，使得中華民族的生命得以永續發展。

先父沒有擔任過國民黨或國民政府中常設性機構的正式的職務。他在國民黨系統中最後的

*原載二〇一五年五月《鵝湖月刊》四十一卷十一期，內容有增補。

工作，是一九四九年底至一九五〇年初，參與試圖在長江以南保存國民黨勢力的工作。(2)在這個組織中，蔣經國先生負責情報，陳大慶先生負責行動，　先父負責組織；而在工作的過程中，　先父和蔣經國先生曾在工作的內容和方法上有極大的分歧。

是時，陳誠先生是台灣明定的第二號人物，　先父極不爲陳先生所容；而蔣經國先生是最具潛力的接班人。如果繼續留在國民黨系統之中，　先父勢必要協助蔣經國先生走向接班之路。　先父不樂見父子相傳，即便認爲「就能力與正義感來說，在國民黨中，我認為無一人能趕得上經國」(3)，但是「就他（註：蔣中正）把權力移交給經國先生一事，當然有若干人不以為然，連我也在內」。(3)這是　先父選擇脫離國民黨的原因。

一九五二年十月三十一日成立的「青年反共救國團」，是國民黨全面控制教育、以及蔣經國先生擴充影響力的一大步。　先父發表了〈青年反共救國團的健全發展的商榷〉(4)，是台灣唯一公開表達不同意見的文章。一九七二年，　先父在〈毛澤東與斯大林的同異之間〉一文中，有如下的文字：「不過，自中國長期專制中，傳太子是大經，傳皇后是變局。蔣先生對於蔣經國，出之於長期培養之後，得之於從容揖讓之間，兩相比較，我覺得蔣先生比毛澤東又偉大的太多了」。(5)

即使在蔣經國先生治績已顯，台灣經濟開始起飛之後，　先父仍不改其台灣要「民主化」

的信念。一九八〇年第一次胃癌手術之後，在〈台灣的瓜果〉一文中，盛讚台灣農、工業的進步，而不及政治。[6]在〈民主是可以走得通的一條路——看台灣這次的補選〉的文章中，鼓勵台灣大步走向「民主」。[7] 先父沒有接受蔣經國先生的安排以退役軍人的身份，免費在榮民總醫院治療的好意。其後，遺言不開喪以避免糾紛。至終， 先父秉持理念，不沾國民黨的光，不佔國民黨的便宜。

一九八二年二月 先父最後一次赴台大醫院就醫，蔣經國先生在國民黨的中常會上要與會的人士到醫院探視 先父。身後，國民黨中央黨部重新印行〈中共最新動態〉。[8]日後亦聽說撤銷了開除 先父黨籍的決定。我們並不眞正完全瞭解 先父和蔣經國先生的交往過程和內容。

一九五一年， 先父沒有參與國民黨的黨員歸隊，因而被蔣中正先生叫去罵了一次，這是先父最後一次與蔣中正先生見面，在過程中：「我當面說他所作的黨的改造，是表面的，沒有實質的意義時，他才拍桌大罵一頓。但是罵完後，還是和顏悅色的握手而別」。[3]是時，脫離國民黨的形式已明，而安身立命何處未定[9]， 先父秉持中國智識份子的良知和器識，坦白而眞誠無懼的面對最高的權勢。

在〈末光碎影〉一文中 先父曾提及在延安曾爲抗議中共領導在會議中批判蔣中正先生而

絕食抗議的事。[10]在保存於延安的檔案中，有　先父和毛澤東先單獨會面的談話紀錄，內容中包含爭辯的場景，（我沒有看到原紀錄的內容）。在二十世紀的中國智識份子中，面對最具權勢的人物，一本智識份子的良知和尊嚴，而「爭吵」的人，只有　先父一人。

可以確定的是，在　先父參與國民黨決策的過程中，他從沒有自個人的立場表達意見，更未謀取任何的私利。這一點是蔣中正父子均理解的。同時，蔣家父子的器度量應不同於常人，即使極端不悅，也應能「容忍」　先父。[11]在脫離國民黨核心之後，　先父所要面對的是一群具「聰明的奴才」特質[12]，以陶希聖先生爲首、包含秦孝儀等的「內臣」們。一九五三年在《中國智識份子的歷史性格及其歷史的命運》[12]一文中，先父對在國民黨內，以及圍繞在國民黨周圍的智識份子，有如下的評價：

『概觀近二十年多年來智識份子的性格，其形態可略舉為三：一是以個人小利小害為中心的便宜主義。……一是貌為恭順……實則一事不辦……。一是捕捉機會，肆行敲詐，獲取報酬。……力之所及，真是「殺百萬生靈，亡數百年社稷」亦所不惜，更何有於禮義廉恥。』[13]

即是，先父極不齒國民黨內的「智識份子」，而且會清楚的、直接的表達出他對這些人的看法，這應該是「內臣」們持續迫害先父的原因。

一九五〇年之後的國民黨是以「鞏固領導中心」爲基調，施行比在中國大陸時更內化的控制。這批「內臣」的任務是製造理論，控制宣傳，以達到「一言」的境界。「內臣」們有兩個導向極爲不能爲　先父所接受：一個導向是曲解中國文化來爲領導人服務；另一個導向是打擊所有非出自於「內臣」們之口的官方言論，包括倡導民主、人權和自由的言論，以及於未經「內臣」們認可的反共言論。在一九五二至一九五八年之間，　先父針對「內臣」的文章有：

一九五二年

〈與程天放先生談道德教育〉

〈反共應驅逐自由主義嗎？〉

一九五四年

〈懶惰才是妨礙中國科學化的最大原因〉

〈從宣傳問題看我們的自由〉

一九五五年

〈釋《論語》「民無信不立」〉

一九五六年

〈爲什麼要反對自由民主〉

一九五七年

〈悲憤的抗議〉

一九五八年

〈一個歷史故事的形成及其演進——論孔子誅少正卯〉

四篇是反駁對中國文化的扭曲，四篇保衛思想自由。在國民黨的內部文件〈向毒素思想總攻擊〉中，將　先父列爲「毒素思想產生的原因」。[14]在東海大學的首任校長曾約農先生聘請先父於一九五五年至東海大學任教的過程中，時任教育部部長的張曉峯先生曾二度打電話給曾校長阻止未果。同時，國民黨的知青黨部已開始規劃「整」　先父的工作。[15]一九五六年中，在時任總統府秘書長的王世杰先生的配合下，將《民主評論》的補助單位，由總統府移至由「內臣」控制的教育部，而導致《民主評論》日益萎縮、停刊。[16]一九五七年三月，開除　先父的黨籍。[17]

東海大學創校時的校歌的歌詞是　先父撰寫的，中有「神聖本同功」一辭不能爲東海大學董事會接受。在首任校長曾約農先生去職之後，歌詞即被更改，共用了三屆。在一九五八年八月十五日致唐君毅先生的信中，　先父說明他辭中文系主任的原因：『教會學校實際係有一文化殖民主義在其中，弟看破此點後精神深感不安，故將系主任辭去，此事實對學生不起，因為有幾個好學生，實因弟及宗三兄而始轉入中文系，學生聞弟辭去系務，有的哭了，有的要轉出去，正力加安慰中。』是時，在　先父和牟宗三先生之外，劉述先先生亦任教於東海大學，杜維明先生自外文系轉入中文系就讀，實台灣僅見的人文之盛。而東海大學的校史上對此無一字紀錄。一九六九年六月底，東海大學不續聘　先父。在一九七〇年十二月十八日致劉殿爵先生的信中，　先父說明東海大徐的吳德耀校長及教會，與國民黨的知青黨部，『他們想把我逼得在台灣餓死之心，比教會更深更毒』，而迫使　先父退休。對在東海大學中的經歷，　先父在《再論古為今用》（一九七二年五月二日《華僑日報》）一文中有如下的敘述：

『我在教會學校教了十四年書，體認到文化侵略與精神佔領的嚴酷性，是如此的巧妙，是如此的深刻，是如此的毒辣。』

知青黨部在東海大學的負責人是蕭繼宗先生。(18)

開除黨籍的理由，應該是「反蔣」和「親共」。由於　先父不贊同蔣介石先生集中權力和傳子的作法，同時　先父在一九五一至一九六二年間沒有寫過批評中國共產黨的文章，藉此以編織出「反蔣「和「親共」的罪名，以陶希聖和張曉峯等「內臣」們的聰明，是絕對可以做到的；而一九五六年十月三十一日發表在《自由中國——祝壽專號》上的〈我所瞭解的蔣總統〉一文，就成爲了開除黨籍的引發點。至今我所不能理解的是：這些「內臣」在一九五七年爲何不盡全功於一役，即是做到使《民主評論》即刻關門？我更不能想像的是：這批「內臣」爲什麼要對一位已完全不能影響他們權勢的老人，連續追殺達十五年之久？他們是具什麼樣人格特質的「人」？

在一九七〇年之後，蔣孝武先生開始涉入情治事務。他缺少蔣經國先生的歷練和訓練，經由蔣孝武先生處理過和　先父相關的資訊，應是摻合了他個人的喜惡。(19)我曾不只一次的深思，如果蔣介石先生沒有將　先父留在重慶、沒有資助出版《民主評論》、或是　先父沒有和《華僑日報》結緣，先父後半生的境遇該會是如何？我們這一代又在哪裡？

先父跨入學術界的第一步是一九五二年在台中農學院（今日的中興大學）擔任兼任教授，講授「國際組織與現勢」。是時，「三民主義」、「中國近代史」和「國際組織與現勢」是大一的必修課，授課的教師多半是有點政治經歷的人，張研田和林一民等先生是基於友誼而邀約賦閒在台中的　先父到農學院兼課的。由兼任轉爲專任，並改授大一國文，均得到這些朋友的幫助。能在一九五五年開始任教於新設立的東海大學，是出自於沈剛伯先生的推薦，和曾約農校長對中國文化的重視和堅持。

先父在武昌高等師範和國學館中所接受到的、是全面的、紮實的傳統中國經典訓練，包含文字表達能力。『從民國十五年以後、到二十九止，我唾棄了線裝書，追求「科學地社會主義」』(20)，『西方的哲學著作，在結論上多感受到貧乏，但在批判他人、分析現象和事實時，則極盡深刻調理之能事。人的頭腦好比一把刀，看這類的書，好比一把刀在極細膩的砥石上磨洗』。(21)在問學於熊十力先生時，眞正受益的是讀線裝書的態度、方向和方法，而不同於今日的學位論文指導教授。　先父走向學術的基礎是扎實、全面的國學基礎、思考和分析能力、和文字表達能力。

在不同的人生經歷過程中，　先父一貫的保持著：發掘問題、分析問題和設法解決問題的習慣和能力。這種能力，是　先父能和蔣介石先生和毛澤東先生「談問題」、及受知於蔣介石先生的原因。也就是這項能力，使得　先父能成功的開創出自己的學術之路。必須要指出，在看問題和解決問題的態度和方法上，　先父和時賢們有兩個顯著的區別：

第一個區別，是先父是從宏觀的、全面的觀點來看問題。(22)今日訓練學者的過程，是自某一特定的點切入，而不包含如何從點擴充到面。

第二項差異是處理問題的態度和過程。　先父是自材料中尋找出理路。而時賢們，尤其是接受西方訓練的學者們，經常是要在一個固定的、西方的框架中處理材料。

先父深知說明性和討論性文章的理路和結構，不同於學術性的文章。翻譯《詩的原理》和《中國人的思惟方法》應是 先父訓練自己撰寫學術論文的過程。從《學術與政治之間》所收集的文章，例如從〈中國的治道〉到〈釋論語的「仁」〉和〈有關中國思想史中一個基題的考察〉，文章結構的變化明顯可見。

台灣在一九八〇年以前的「中文系」，是中國「文化」系，課程的內涵有詩、詞、聲韻、以及經、史、子、集等，和時下的中國「文學」系不同。作爲系主任，便要在找不到人教課時自己頂上去教。負責任的教師都會編一套授課用的筆記。 先父的《中國文學論集》和《公孫龍子注疏》都是從授課的筆記發展出來的。中國思想史是先父志趣所在，《中國藝術精神》是中國思想史；而《兩漢思想史卷一》和《中國人性論史——先秦篇》兩書之間相隔了九年，和先父在東海大學的際遇有關。東海大學和國民黨「內臣」對 先父的迫害，一方面是浪費了先父至少五年的學術生命，也同時打斷了 先父培養學生之路。

以傳統的中國智識份子自居， 先父認爲中國的文化自有理路，『我認為孔子在論語中的思想性格，合不合希臘系統哲學的格套，完全是不相干的。孔子在人類文化史中的地位，不因其合西方哲學的格套而有所增加，也不因其不合西方哲學的格套而有所減少。』(23)；『中國哲學非出於思辨而出於功夫所得之體驗。以西方哲學為標準來看中國哲學，則中國哲學非常幼稚，且與中國哲學的中心論題無關』。[24]即是，　先父不認同用西方的學術架構和思考模式來研究中國文化。儒家的起源不同於希臘哲學，一定要將儒家的思想套進西方哲學的架構會扭曲了儒家思想的原貌。在解決和「人」相關的問題上，『由孔子之教所開闢的世界現實生活中的「正常人」的世界；是人和人應當進入、也可以進入的平安的世界。人能進入到柏拉圖的理想型世界中去嗎？能進入到黑格爾的絕對精神的世紀中去嗎？』[24]在爲學的方向和方法上，　先父和熊十力、牟宗三、唐君毅、錢穆諸先生都不同。　先父首尊《論語》，而哲學學者們並不能以《論語》做爲出發點，來形成其中國哲學的西方化。　先父從不以西方式哲學家自許，更不以不是西方式的哲學家爲損，他是眞正的儒家。

在當代的學者中，牟宗三先生和　先父相知最深，二人秉性剛烈，具強烈的社會責任感。牟先生在紀念　先父逝世十周年的《東海大學徐復觀學術思想國際研討會》上所講的〈徐復觀先生的學術思想〉，說出了二人半生的滄桑。二人對假學術之名行利己之實的時賢看法相同，先父更形之於文字，直指胡適先生是「由於過份自卑的心理，發而為狂悖的言論，想用誣蔑中國文化，東方文化的方法，以掩飾自己的無知，向西方人士賣俏，因而得點殘羹冷汁，來維持早已經掉到廁所裡去的招牌；這未免太臉厚心黑了」。[26]在當權的政治人物中尚有　先父的朋友；而在當權的學術界中，　先父是徹底的局外人。先父在一九五〇年代「騾得大名」〈錢穆先生語），大名是來自社會，而不是「學術權威」。

撰寫評論性的文章，是出自　先父的社會責任心。但在一九六九之後則是爲了生活的必要。[27]一九四八年，　先父設法解除了香港《華僑日報》內銷的禁令，因而結下了三十餘年的緣分。自一九五一年開始爲《華僑日報》撰文，　先父在一九五一年和一九六〇年兩次訪日，均得到《華僑日報》的幫助，自一九六〇年開始持續寫稿。一九八〇年秋，　先父在台北動手術，余紀忠先生提供了幫助，和長期照顧的規劃。自一九五一年以來，長期的提供必要的經濟協助的，是政治和學術圈外的《華僑日報》的岑才生和歐陽百川兩位先生。

在移居香港之後，　先父無可避免地寫了大量評論中國大陸時況的文章。他對共產黨員的評價，遠高於國民黨員。從個人的經驗中，他理解共產黨的意志力和執行力，是以　先父在一九四三年即相信共產黨可能取代國民黨；但是也看到了在共產黨統治地區民生的困苦。　先父曾在文章中提到，直至一九七〇年止，他曾在夢中和毛澤東先生探討國事，在唐山大地震時仍相信共產黨保有能行動的效率。「我的雜文，包括的範圍相當廣泛，許多是由各方面，各種程度的感發才寫了出來的。但以受到毛澤東文化大革命及其遺毒的震盪為最大。」[27]文化大革命破壞了　先父對毛澤東先生和共產黨正面的看法。即使如此，　先父站在民生的立場，希望能藉由反省和檢討來促使共產黨領導人的改變，蕭欣義兄在《儒家政治思想與民主自由人權》的書序中，很清楚的表達出這個意思。站在民族的立場，　先父認爲中國不能再承受全面的戰爭或是國家的散亂；和平的正向轉變，即是極其緩慢的轉變，對中華民族和中國人民都是好的。同樣的，站在民族的立場，　先父讚揚一九七九年由中國主動發動的中、越戰爭，因爲是時蘇聯是要自越南來包夾中國。(28)

在國際事務上，他堅持中華民族的和中國的立場。對中、港、台，　先父對不能同意的，提出批判，以及不同的方向和途徑。落實在現實的事務上，　先父總結爲拋棄任何理論框架的「實事求是」，和落實於日常生活倫理的「正常即偉大」兩句話。(29)儒家的學問，原本就是要找出在現實社會中可行的方向。在我的心目中，　先父是眞正的儒者，是中國智識份子的標竿。

薛順雄教授補述：

㈠徐師自香港來台時，都會在出發的前一天，來電告知。我也必會依時到其所住的YMCA會館（台北火車站前）瞻望。有一次，恰好逢到蔣彥士先生，代表蔣經國先生去探望徐師，並誠懇告知想安排家師到台北榮總醫院治療胃癌，完全免費，卻被　徐師加以婉拒。

徐師對我說（蔣彥士離去後）：「我跟老先生（蔣中正），跟到把整個大陸都失去了！我曾留學日本，卻沒有「切腹」以告罪世人，自覺慚愧。怎能再花老百姓的錢來治我個人的病，這是件很可恥的事！」

（二）雖然蔣彥士（當時國民黨的秘書長）告知 徐師可以領退伍金（因為 徐師在大陸時，是少將銜），也被 徐師婉拒。 他說：「我跟蔣中正先生，跟到把整個大陸都丟了，還有臉說是：「功在黨國」，要是如此而不知可恥，眞是時代的悲哀！」

由上所述二事，足以補充說明眞正儒者的人格，應該是眞正有良知的讀書人， 徐師的這種人格，最是我敬佩的所在。不過，這種眞正有人格的讀書人，在這個充滿勢利的現實中，實在是不容易找到了。至今，我還沒有遇到過，可嘆！

註釋：

(1) 〈保持這顆不容自己之心——對另一位老友的答覆〉，《華僑日報》一九七九年三月六日。

(2) 「後來又給了我一個組織性的任務，拖了三、四個月，也就完全擺脫了」。〈垃圾箱外〉，《快報》，一九七八年十二月五日。是時，我們全家自台中市模範西巷44-1號，遷至香港紅墈蕪湖街，又復遷回至台中市向上路20號。

(3) 〈對蔣總統的悲懷〉，《華僑日報》一九七五年四月七日。

(4)《自由中國》，第七卷第八期，一九五二年十月十六日。

(5)《明報、集思錄》，一九七二年六月五日。署名王世高（先母）。

(6)《華僑日報》，一九八〇年十月二十四日。是時　先父手術後在台北療養，尚未決定日後能定居何處。本文出自友人們的建議，希望　先父能善言台灣的進步，以消除或減少留居台灣的阻力。蔣經國先生沒有釋放出先父可回台度餘生的信息。一九八一年　先父二度赴美，是要決定是否移居美國。

(7)《華僑日報》，一九八〇年十二月十六日。

(8)我拿到的〈中共最新動態〉，間接得之於裘孔淵先生。裘先生時任職於國民黨中央黨部，為　先父聯秘處舊識。

(9)在抗戰勝利之後，先父在北京收集了一些線裝書，一九四九年將這批書以五萬元台幣買給了高雄市政府，是為我們的全部家當。是時的高雄市長是劉翔先生，愛河之名，始自劉市長。

(10)《中國時報》，一九八〇年四月五日。時值蔣介石先生逝世五周年。

(11)如果「整」　先父是出自於蔣介石或蔣經國之手，規格會高很多，例如《民主評論》會立刻停刊，禁止　先父去日本或香港等。但是兩位蔣先生亦未阻止這批「內臣」們的行動。

(12)引自〈中國的治道〉，《民主評論》第四卷第九期，一九五三年五月一日。

(13)《民主評論》第五卷第八期，一九五四年四月十六日。

(14)〈死而後已的民主鬥士——敬悼雷儆寰（震）先生〉。《華僑日報》，一九七二年六月十一日。

(15)一九五四年我是大一的新生，教授「三民主義」的教師曾主動邀約我加入國民黨。一九五五年的秋天，土木系的李大印兄告訴我，國民黨的成大區黨部通告各級黨幹部不得吸收我為黨員。大印兄是軍人遺屬，時為國民黨成大區黨部委員。即是，自一九五五年開始，由教育部主導的國民黨知青黨部，已通知各級學校要「整」　先父的決定。

(16)《民主評論》是經過蔣介石先生的同意，由國民黨補助的半月刊，在香港發行。將資助單位由總統府轉移至教育部之後，所能得到的幫助是可以將在台灣的銷售所得用官價購買美元，取得官價和市價的差額來貼補費用。可購買官價美元的金額由教育部核定。

(17) 我不認為蔣經國先生參與了「整」　先父的過程，原因如下：在羅織孫立人案時，上報的情資中有　先父和孫立人將軍往來的紀錄，而蔣經國先生刻意全部略去。坊間出版有對谷正文先生的訪談和回憶，文中即有對相關情事的敘述。（谷正文先生是軍統系統的少將高級幹部）。其次，《民主評論》停刊後，負責編務的金達凱先生，曾專任政戰學校的教職。一九七〇年我取得學位申請成功大學教職時，時任省主席的陳大慶先生，和任教育廳長的潘振球先生，均曾幫忙向成功大學查詢進度。

(18) 蕭繼宗先生原任職嘉義中學，由　先父延聘至東海大學中文系任教，善詩、詞、字、畫。他在東海大學內所做的工作，應包含製造　先父與東海大學校方及同仁之間的矛盾在內。在成功的逼退　先父之後，蕭繼宗先生獲聘為中國國民黨中央黨部副秘書長，是時此一職位的任用必須得到蔣介石先生的同意。其後，蕭先生任正中書局董事長至終。「整」　先父所得賞賜之豐，在國民黨史上是空前絕後的。

(19) 我個人的看法是：如果蔣經國先生沒有傳子的想法，蔣孝武先生即無緣介入及主導台灣的情治系統，他在一九七七年告訴工研究院的方賢齊院長「徐復觀的兒子不能在工研院工作」，我在一九七九年底去職。

(20) 徐復觀，〈西方文化沒有陰影〉，《大學雜誌》十三期。

(21) 徐復觀，〈我的讀書生活〉，《文星》二十四期，一九五九年十月。

(22) 參閱〈中國政治的兩個層次〉，《民主評論》第二卷十八期，一九五一年三月十二日。及〈儒家政治思想的構造期期轉進〉，《民主評論》第三卷一期，一九五一年十二月十六日。

(23) 〈向孔子的思想性格回歸〉，《中國人月刊》第一卷第八期，一九七九年九月一日。

(24) 徐復觀，〈正常即偉大（之三）〉，《華僑日報》，一九八一年二月十七日。

(25) 黃俊傑，〈自序〉，《東亞儒學視域中的徐復觀及其思想》，台大出版社（二〇〇九）。

(26) 〈中國人的恥辱，東方人的恥辱〉，《民主評論》第十二卷二十四期，一九六一年十二月二十日。

(27) 〈雜文自序〉，《徐復觀雜文》，時報出版公司，一九八〇年四月。

(28) 〈終於要打這一仗！〉，《華僑日報》，一九七九年二月十九日。

(29) 〈國族無窮願無極，江山遼闊立多時——復翟君志成書〉，《華僑日報》，一九七八年十月十日、二十及二十一日。

〈正常即偉大〉，《華僑日報》，一九八〇年一月二十八日，二月三、四、十七及二十四日。

附錄三

二〇一七年六月二十五日徐武軍致東海大學函

1. 先父徐復觀教授是中國人，他對民族和國家的立場是堅定的，他對日本的看法是一致的。沒有曲解的空間。

2. 東海大學在舉辦任何與　先父相關的活動時，均應無條件的尊重　先父的態度和看法，不得以任何理由，例如「本土化」或「學術自由」等，變動　先父的立場和態度。

3. 如有違反前項之情事發生，本人、以及本人之後人，均將依法追究。

4. 專此奉告，並請切實遵循。

徐武軍謹啟　二〇一七／六／二十五

國家圖書館出版品預行編目資料

徐復觀教授看世界——時論文摘 四之四卷
民族主義與民主政治 國際政治 台灣 中國大陸
海峽兩岸

徐武軍、徐元純輯. – 初版. – 臺北市：臺灣學生，2018.04
面；公分

ISBN 978-957-15-1767-4 (平裝)

1. 言論集 2. 時事評論

078 107004623

徐復觀教授看世界——時論文摘 四之四卷

編輯者	徐武軍、徐元純
出版者	臺灣學生書局有限公司
發行人	楊雲龍
發行所	臺灣學生書局有限公司
地址	臺北市和平東路一段 75 巷 11 號
劃撥帳號	00024668
電話	(02)23928185
傳眞	(02)23928105
E-mail	student.book@msa.hinet.net
網址	www.studentbook.com.tw
登記證字號	行政院新聞局局版北市業字第玖捌壹號
定價	新臺幣三二〇元
出版日期	二〇一八年四月初版
ISBN	978-957-15-1767-4

07824